나비ろ서관

민예원, 정해윤,
글쓰기 모임; 프라그

나비도서관

발　행 | 2024년 02월 20일
저　자 | 민예원, 정해윤 외 7
펴낸이 | 한건희
펴낸곳 | 주식회사 부크크
출판사등록 | 2014.07.15.(제2014-16호)
주　소 | 서울특별시 금천구 가산디지털1로 119 SK트윈타워 A동 305호
전　화 | 1670-8316
이메일 | info@bookk.co.kr

ISBN | 979-11-410-7272-8

나비도서관

민예원, 정해윤,
글쓰기 모임; 프라그

목차

1. 봄은 달아나버렸다 / 에스더 ······ 5

2. 지구 종말론 / 에스더 ······ 6

3. 사건의 종말 / 해와 ······ 26

4. 메리골든 반드시 오고야 말 행복 / 물망초

······ 46

5. 초록빛 우연 / 다온 ······ 77

6. 구마뎐 / 제로 ······ 99

7. 나의 바다 / 똥그랑땡 ······ 130

8. Marigold / 온 ······ 151

9. 통속의 낭만 / 민예원 ······ 172

10. 종언의 예고 / 민예원 ······ 191

11. 봄이 오면 / 정해윤 ······ 207

작가의 말 / 민예원 ······ 242

／ 정해윤 ······ 244

에스더 작가

<봄은 달아나버렸다>
<지구 종말론>

봄은 달아나버렸다

분명 너와 처음 만났을 때는 바다에 꽃잎이 하늘하늘 내리던 따뜻한 봄이었을 텐데, 어느덧 추운 겨울이더라.

너는 절대 모를 거야.
자유롭고 탁 트인 곳이 좋다며 틈만 나면 바다를 찾아가던 네가.
더 이상 나아갈 곳을 찾지 못하고 바다에 가라앉아버린 날,
내가 어떤 감정을 느꼈는지.

단어 하나하나조차 완성하지 못해 그저 높낮이만 다른 소리를 내던 내가 다시는 들을 수 없는 네 목소리를 떠올릴 때,
내 귓가에는 어떤 소리들이 울려 퍼지는지.

내 손이 차갑다며 늘 핫팩을 쥐여주던 네 손이
더 차갑게 변해버린 그날,

내 손은 어떤 온도가 됐는지.

나는 아직도 가끔 너와 함께한 봄을 그려.
나는 아직도, 봄을 기다려.

봄은 달아나버렸다

지구 종말론

2000년에는 세상이 망해버릴 수도 있다는 소문을 듣고 너는 오히려 웃으면서 그러면 좋겠다고 말했잖아. 너는 그때, 네 모습이 얼마나 위태로워 보였는지 절대 모를 거야. 너는 아직도 내가 너를 찾아가지 못한다는 사실도 모르고, 네가 남긴 그림들만 하루 종일 쳐다본다는 것도 모를 거야.

가끔은 그냥 네가 남긴 음성파일만 들어. 그러다 가끔. 아주 가끔, 네가 사무치게 그리워질 때면 네가 그렸던 그림들을 하루 종일 보고 있어. 너는 저 그림을 그릴 때 무슨 생각을 했을까. 그림을 그릴 때, 나를 그릴 때 내 생각을 한번 했을까? 모르겠어. 나는 하루 종일 너만 생각하는데, 너도 한 번쯤은 내 생각을 해줬을까.

그래도 이거 하나만 알아줬으면 좋겠어.
나는 너로 사랑을 배웠고, 행복도 배웠고, 그냥 내 청춘은 온통 너로 가득했어, 재현아.

시작점
"안녕, 네가 서도운이야?"
그 아이와는 첫 만남부터 이상했던 것 같다. 나랑 대화해본

적은 한 번도 없으면서 친한 친구인 듯 말을 걸어왔다. 얘는 누구지. 그런 생각을 하자마자 누가 내 생각을 읊어주기라도 한 것처럼 입을 열었다. 너 밴드부에서 노래하는 거 봤는데 엄청 멋져 보이더라, 그냥 그거 말해주고 싶었어. 그 아이가 말을 마치자 기다렸다는 듯이 종이 울렸고 그 아이는 자리로 돌아갔다. 알고 보니 그 아이는 이미 학교에서 유명했다. 이름은 이재현, 전학 온 지 이제 막 두 달이 지났는데도 친하게 지내는 사람도 없고 학교에서 잠만 자는 아이로. 매일 미술 시간에만 일어나 수업을 들었고 어떨 때는 학교까지 나오지 않았다. 그래도 아무도 이재현에게 뭐라 하는 사람은 없었다. 1999년, 교칙이 가득한 학교 속에서 이재현은 혼자 자유롭게 다녔다.

그런 소문들이 가득한 이재현을 보며 나는 의문을 가졌다. 하얀 피부를 가진 이재현, 또래보다 작고 왜소한 체격을 가진 이재현, 매일 잠만 자다가 미술 시간에만 겨우 일어나 수업을 듣고 그림을 그리는 이재현. 다른 또래 아이들과는 별로 다른 것이 없어 보이지만 유독 이재현만 소문이 가득했다. 혼자 다니는 이재현을 보며 소외당하는 친구를 보지 못하는 내 성격상, 내가 이재현을 은근히 신경 쓰는 것은 뻔한 일이었다. 하지만 이재현이 말을 건 그날 이후로는 우리가 말을 하는 일은 없었다. 결국, 며칠 동안 고민에 고민을 거듭하던 내가 이재현에게 다가가 말을 걸었다. 예상과는 달리 이재현은 밝게 웃으며 나를 반겼다. 그리고 그날 이후로는 이재현과 나름 친해진 것 같았다.

"오늘 우리 집에 놀러 올래?"

방과 후, 이재현이 건넨 말에 나는 좋다고 대답했다. 그렇게 가게 된 이재현의 집은 싸늘했다. 사람이 살고 있다고는 못 볼 정도로 공기가 차가웠다. 온기가 없는 집에는 그림과 물감, 캔버스 등 그림 도구만 가득했다. 내가 조금 당황한 표정을 짓자 이재현은 웃으며 변명했다.

집에 나 혼자만 살아서, 조금 휑하지? 그림들은 그냥 내가 좋아해서 많은 거야. 내가 눈을 반짝이며 그림들을 구경하자 이재현은 귀가 빨개지며 부끄럽다는 듯이 웃었다.

"나도 그려주면 안 돼?"

"너를?"

이재현이는 잠시 멈칫하다 웃으며 알겠다고 대답했다. 이재현은 주변에서 종이와 연필을 가져오더니 빠르게 형태를 잡기 시작했다. 그런 모습이 멋져 보여서, 흔하게 보이는 길거리 화가들과는 비교도 안 될 정도로 멋져 보여서 얼굴에 살짝 열이 나는 것 같았다. 애써 빨개진 얼굴을 숨기려 그림을 보며 더 크게 반응했다. 점점 완성되는 그림을 보며 내가 계속 감탄사를 내뱉자 이재현은 또 귀가 붉어졌다. 이재현은 생각보다 부끄러움을 많이 타는 것 같았다.

"다 됐다."

이재현의 그림 속에는 마이크를 들고 환하게 웃고 있는 내가 있었다. 너 진짜 잘 그린다. 진심에서 우러나온 말을 하자 이재현은 웃으면서 아니라고 웃었다.

다들 힘든 1999년에, 후원자도 없이 돈 많이 드는 그림을 그리는 이재현. 이상하다고 생각할 틈도 없이 이재현이 주제를 돌렸다. 우리 다른 거 하자. 이재현의 손에 이끌려 그저 그런 프로그램을 보고 있었는데 갑자기 이재현이 기침을 했다. 목이 가려웠나 생각하며 TV를 보고 있었는데 금방 멈출 줄 알았던 기침이 멈추지 않았다. 너 괜찮아? 걱정하며 고개를 돌리자 이재현은 황급히 손을 숨기며 괜찮다고 대답했다.

"너 갈 시간 아니야?"

시계를 보자 시간은 어느덧 8시였고 나는 황급히 가방을 챙겨 집을 나왔다. 아프면 꼭 약 챙겨 먹어!! 웃으며 손을 흔드는 이재현을 뒤로하고 자전거의 페달을 밟았다. 아, 이재현의 손에 무언가 빨간색이 묻어있던 것 같았는데. 잘못 본 건가?

붉어진 얼굴, 첫사랑의 시작

"너는 축제 때 뭐해?"

고등학교의 꽃, 축제 기간이 점점 다가오고 있었다. 아무래도

이재현은 친구가 별로 없으니까, 누구랑 다닐지 물어보려고 했
는데 그전에 이재현이 먼저 말했다. 나 그날 학교 못 와. 분명
학교에 못 오고 축제를 즐기지 못하는 것은 이재현인데, 기분은
내가 더 서운한 것 같았다. 우울해 땅속까지 파고 들어갈 것 같
았다. 그런 내 표정을 본 건지 이재현이 웃으며 말했다.

"네가 왜 그런 표정을 짓고 있어."

"너한테 노래 부르는 거 보여주고 싶었는데, 아쉽다."

분명 그럴 것이다. 나는 그저 친한 친구에게 노래를 들려주지
못하는 것이 아쉬운 것일 뿐이다. 아마도 그럴 것이다.

축제 당일, 마지막을 장식하기 위해 밴드부가 무대에 올라갔
다. 제일 앞에서 노래를 부르는 나는 혹시나 이재현이 오진 않
았을까 하는 마음에 사람들 사이를 봤지만, 이재현은 없었다.
사실은 내심 이재현이 오길 바라고 있었다. 어느 드라마에 나오
는 것처럼 공연이 시작하기 전에 나타나는 여주인공, 그런 여주
인공을 보고 더욱 활기차게 공연하는 남주인공. 그게 우리가 되
길 바랐다. 하지만 드라마와 현실은 달랐다. 여주인공처럼 기적
적으로 나타나는 이재현은 없고, 이재현을 보고 더욱 활기차게
공연하는 나는 없다. 그냥 드라마 속 남주인공과 같은 동아리인
엑스트라 1일뿐이다.

그렇게 복잡한 마음과 함께 공연이 시작됐고, 이상해진 몸 상

태를 알리는 것처럼 가사 실수도 했다. 세상에서 제일 긴 것처럼 느껴진 공연이 끝났고 사람들은 앙코르를 외쳤다. 평소였으면 흔쾌히 받아드릴 앙코르지만 그날은 뭔가 불편했다. 마이크를 던져버리고 무대를 뛰쳐나가고 싶었다. 이재현이 들어주지 않는 앙코르는 부르기가 싫었다. 그래도 어쩔 수 없었다. 나는 밴드부였고, 밴드부는 관객이 앙코르를 원하면 해야 했으니까.

원치 않는 공연이 시작되고 1절이 다 끝나갈 때쯤, 강당의 문이 열리더니 누군가 들어왔다. 이재현이었다. 이재현은 나와 눈을 마주치더니 뭐라고 뻐끔거렸다. 그 순간만큼은 울려 퍼지는 노랫소리도, 사람들의 함성도 들리지 않았다. 세상에 오직 이재현과 나, 둘만이 존재하는 것 같았다.

"멋지다 도운아."

이재현과 눈이 마주쳤다. 반달처럼 휘어지는 눈꼬리가 예쁜 이재현.

아, 또 얼굴이 붉어졌다. 심장이 두근거린다.

이제야 알겠다.

나는 이재현을 좋아한다.

그저 이 순간이 영원하기를

"우리 여행 갈래?"

언제쯤이더라, 여름 방학이 시작되기 얼마 전. 한 칠월 셋째

주 정도에 이재현이 말했다.

여행? 우리 둘이? 재현아, 네가 뭐 하나 까먹은 것 같은데 우리 친해진 지 고작 삼 개월 됐어. 근데 여행 가자고? 우리 뭐 아메리칸 스타일 그런 거야?

"아니, 그냥 친구랑 여행 가는 게 소원이었거든."

"어어… 뭐, 가자!"

이재현이 풀이 죽어있던 모습에서 꼬리를 흔드는 강아지 모습으로 바뀌자 어딘가 귀여운 모습에 웃음이 나왔다. 이재현은 내가 웃는 모습을 보자 왜 웃냐면서 성을 냈다. 근데 그런 모습까지 귀여워 보일 정도면, 정말 지독한 짝사랑인가.

"헐 도운아, 여기 엄청 멋지다!"

당일치기로 간 여행에서 이곳저곳을 돌아다닌 후, 마지막으로 간 바다에서 이재현이 말했다. 그러곤 가방에서 노트와 간단한 색칠 도구를 꺼냈다. 오늘은 크레파스야? 이재현은 내 물음에 입꼬리를 올리며 고개를 끄덕였다.

이재현이 노트에 노을을 칠해갈수록 태양은 바닷속으로 사라져갔다. 그러다 문득 이재현이 손을 멈추고 입을 열었다.

"이 순간이 계속 영원했으면 좋겠다."

갑자기? 뜬금없는 이재현의 말에 내가 웃음을 터트렸다. 하지만 이재현은 사뭇 진지해 보였다. 아무 말도 하지 않고 그저 그림으로만 고개를 숙이고 있었다. 그러다 어깨가 조금 흔들렸다.

노트 위로 조그마한 물방울들이 떨어졌다. 비가 오나 생각해 하늘을 보자 하늘은 그저 맑았다.

너 울어? 이재현은 고개를 저으며 말했다.

"바다라서 그런가. 바람이 엄청 분다, 모래가 눈에 엄청 들어가."

더 이상 물어보지는 않았다. 물어보면 안 될 것 같았다는 표현이 더 정확했다. 더 이상 물어보면 이재현이 이대로 모래에 폭 빠져버릴 것 같았다. 손에 닿지도 않고 쥐어지지도 않을 것 같았다. 그저 내가 할 수 있는 일은, 그러게 라고 맞장구쳐주는 것뿐이었다.

컴퓨터는 2000년이 입력되어 있지 않아

"그거 들었어? 2000년은 컴퓨터에 입력되어 있지 않아서 2000년이 되면 셧다운 돼버린대. 그래서 2000년이 되면 세상이 망해버린대"

…응, 망해버렸으면 좋겠네. 이런 세상이면 그냥 망해버렸으면 좋겠어. 환하게 웃는 이재현은 얼굴과 비교되는 말을 아무렇지도 않게 내뱉었다. 그런 이재현의 모습이 소름 끼치기는커녕 어딘가 처연하고 슬퍼 보여서, 그래서 아무 말도 하지 못했다.

"도운아, 나 오늘 조퇴해."

오늘도? 오늘 같이 놀려고 일부러 다마고치도 가져왔는데.

지구 종말론

내일 같이 하자. 그렇게 말하는 이재현의 이마에서 식은땀이 흘렀다. 그러고 보니 오늘의 이재현은 뭔가 달랐다. 어딘가 창백해 보이는 얼굴에 식은땀까지 흘리고, 혹시 어디 아픈가 싶어 입을 열려면 무엇인가 슬픈 것처럼 웃는 얼굴에 말도 꺼내지 못했다. 그저 내가 할 수 있는 말은 내일 또 보자며 바보처럼 해맑게 웃는 것뿐이었다.

이재현의 말과 다르게 재현이는 일주일 동안 학교에 나오지 않았다. 내일이라며 말하던 이재현의 얼굴을 마지막으로 내 시간은 멈췄다. 그리고 같이 놀려고 가져오던 다마고치도, 처음으로 나를 그려준 이재현의 그림도 싸늘하게 식어버렸다. 처음부터 아무런 온기도 없었다는 듯이, 처음부터 차가웠다는 듯이.

결국, 이재현이 학교에 안 나온 지 이십일 정도 됐을까, 나는 기억을 더듬어 이재현의 집에 찾아가기로 했다. 꼬불꼬불 거리는 길을 더듬더듬 올라가자 익숙한 집이 보였다.

문을 두드리려고 손을 올리자 바람이 불고 끼익- 소리를 내며 문이 열렸다. 이재현이 문을 열어둘 리가 없는데, 설마 강도인가? 쓸데없는 생각을 하며 집으로 들어가자 거실 한가운데에 조그마한 피 웅덩이가 고여있었다. 집 군데군데 핏방울도 있었다. 어라, 설마 진짜 강도인가?

가방을 쥔 손에 힘을 주고 핏자국이 이어진 방으로 다가갔다.

"서도운⋯?"

휘청거리는 이재현이 방에서 나왔다. 핏기없는 얼굴이 평소보다 더 창백해 보였다. 손에는 붉은색 액체가 묻어있었다. 이재현이 터벅터벅 나한테 걸어왔다.

"재, 재현아. 왜 그래? 무슨 일 있어?

도운아. 나 시한부래. 저번에 병원 가서 들었는데 나는 겨울이 지나기 전에 죽을 거래. 2000년은 꿈도 못 꿀 거래. 저번에 네가 말했던 컴퓨터랑 같은 상태야. 2000년이 오면 그대로 셧다운 되어서 죽어버릴 거래. 나 어떡해, 나 이제서야 더 살아보고 해보고 싶은 것도 생겼는데. 어떡해 도운아.

서로 몰랐던 사이

그 뒤로는 어떻게 됐는지 모르겠다. 피범벅인 이재현을 마주친 것까지는 기억이 나는데. 집에 어떻게 왔는지, 이재현한테 내가 뭐라고 말했는지. 그냥 그날의 기억이 통째로 날아갔다. 그래도 그날 이후로 하루 만에 깨달은 게 있다면, 이재현과 나는 처음으로 돌아갔다는 것이다. 같은 반 친구. 그 이상도 이하도 아닌 그냥 친구.

근데, 그래도 이재현이 좋다면. 아직까지 이재현이 좋다면 어떻게 해야 하는 거지.

"야 서도운!!!"

할 일도 없고 매점이나 가려고 나간 복도에서 누가 나를 불러세웠다. 그러니까… 이재우. 아마도 그런 이름이었을 거다. 아, 하필 이재현이랑 이름이 비슷해서. 더 이재현 보고 싶게 만드네.

"이재현이랑 싸웠냐?"

이재우가 어깨에 팔을 올리며 말했다. 얘는 왜 친한 척이지. 뭐라 입을 열기도 전에 이재우가 다시 말했다. 솔직히 너도 걔 좀 싹수없지 않았냐? 아니 지가 무슨 캡짱인줄 알아. 겁나 나대. 싹수는 니가 더 없는 것 같은데, 그니까 이거 뒤에서 씨불이고 다니는 거 맞지? 신경질적으로 팔을 내치고 가자 뒤에서 이재우가 소리쳤다.

"너 이재현 좋아하냐? 아, 이게 설마 게이 라이프?"

뚝. 머릿속에서 이성의 끈이 끊어지는 소리가 들리고 멋대로 손이 움직였다. 그리고 비명과 손에 무언가 부딪치던 촉감 빼면, 기억나는 게 없다. 그리고 또 기억나는 건….

"서도운!!"

눈에 눈물을 머금고 달려오는 이재현.

네가 왜 그런 표정을 짓고 있는 건데. 너 분명 어제까지는 나

무시했었잖아. 다시는 안 볼 것처럼, 눈도 안 마주칠 것처럼 굴더니 왜 그러는 건데. 너는 진짜 나빠. 내가 좋아하는 거 다 알고 그러는 것 같아. 네가 무슨 짓을 해도 나는 다 받아줄 수밖에 없다는 걸 아는 것처럼 굴어. 그럴 때면 나는 진짜, 어쩔 수 없이 계속 네가 하는 것만 충성스럽게 따라가는 도베르만처럼 굴 수밖에 없잖아.

이건 진짜 온전히 네 탓이야. 선을 그어버릴 듯 말 듯 하면서 계속 장난치고, 지금도 네가 그런 표정을 지으면서 달려오면 나는 네가 나를 소중하게 여기고 있다는 착각을 한다고.

그니까 제발,

"우리 더 이상 아는 척하지 말자 재현아."

"지금 그런 소리 할 상황이라고 생각해?"

"너 곧 죽는다면서. 나는 그런 사람이랑은 친구 못해."

"야 서도운."

"난 이제 너랑 여행도 안 하고 너희 집에 놀러 가지도 않을 거야. 그냥 우리는 이제 끝이야."

"…서도운."

"응, 왜 재현아."

"양호실에는 들렀다 가. 손등 까졌다."

너는 끝까지 그런 소리만 하는구나. 진짜…. 미련이 생길 수밖에 없게 행동하네 재현아. 근데, 나 네가 우는 건 싫어. 그니까 이번 한 번만 이딴 개소리 하는 거 용서해줘. 네가 우는 건 절대로 보기 싫은 충실한 개새끼가 짖는 소리니까, 그냥 무시하고 걸어가. 눈물은 흘리지 말고.

"어차피 곧 죽을 놈이랑 친구를 한 내가 멍청이였지."

멈칫. 이재현의 몸이 멈췄다. 그리고 뒤를 돌아본다. 역시, 내가 나쁜 놈만 되면 되는 거였구나. 이재현의 눈에는 한 방울의 물조차 찾아볼 수 없었다. 이재현은 눈물을 그쳤고, 나는 나쁜 쓰레기가 됐다. 그래도 이거면 됐다. 이재현이 더 울지 않는다면. 그러기만 한다면 나는 남은 일생까지 이재현한테 넘겨줄 수 있으니까.

식는 점과 끓는 점

이재현이 달라졌다. 학교에도 꼬박꼬박 나오고 더 잠만 자지 않는다. 수업도 꼬박꼬박 듣는다. 아, 친구도 생겼다.

그리고 또 달라진 점을 뽑자면…. 더 이상 나와 말을 하지 않는다. 예쁘게 휘어지는 눈꼬리를 가진 눈으로 나를 보지 않는다. 호선을 그리는 입술로 다정하게 내 이름을 불러주지 않는다. 더, 나에게 그림을 그려주지 않는다.

하필 바꾼 자리가 이재현 짝꿍이라니…. 좌절감에 빠져 종일 엎드려 있어도 이재현은 전혀 신경도 쓰지 않는다. 오히려 쉬는 시간마다 옆에서 친구와 수다 떨며 재밌어한다. 원래였으면 이재현 옆에서 수다 떨던 사람은 나였을 텐데. 여기까지 생각을 마치자 머리가 복잡해지는 것 같았다.

분명 이재현을 밀어낸 건 너였잖아 서도운. 이재현을 좋아하는 게, 나보다 그 애를 중요하게 여기는 게. 거지 같았잖아. 사랑이라곤 해본 적도 없으면서 멋대로 사랑이라고 결정 내렸잖아. 혼자 착각하는 감정이었으면서 이재현이 하는 모든 행동에 의미 부여를 하다 너 혼자 끝내버렸잖아. 이재현을 비참하게 버렸잖아. 도운아 너는 진짜 쓰레기야, 주인 물고 도망가는 불독이야.

그러니까 너는 이재현을 생각할 자격도 없어.

정신을 차려보니 교실에는 나 혼자였다. 아, 이동수업이었었나. 그런 생각을 하며 의자에서 일어났을 때, 눈앞이 울렁거리고 머리는 지끈거렸다. 뭐야, 내 몸 왜 이래. 손을 더듬어 책상을 잡고 나서야 겨우 서 있을 수 있었다. 미친, 감기 걸린 건가.

이왕 이렇게 된 거 양호실에서 한숨 자야겠다는 생각으로 복도로 나왔다. 나름 벽을 잡고 잘 걸어가고 있었다, 계단 앞에서 숙인 시야 안으로 누군가의 발이 들어오기 전까지는. 왼쪽으로 가면 발도 왼쪽으로 옮겨지고 오른쪽으로 가려 하면 발은 오른쪽으로 옮겼다. 여기에 거울이 있었나 같은 생각을 하며 고개를 들었을 때, 눈앞에 있던 건. 이재현.

"비켜줄래 재현아."

지구 종말론

"나랑 잠깐 얘기 좀 해."

"나는 할 얘기 없으니까 비켜."

"잠깐이면 돼."

"좀…. 비키라고."

이재현의 몸을 옆으로 밀치고 가려고 했지만, 몸에 손은 닿아도 밀칠 힘이 없었다. 그제야 이재현은 내 상태를 눈치챘는지 계단을 한 칸 올라와 나와 눈을 맞췄다. 어디 아파? 도운아, 몸이 왜 이렇게 뜨거워.

"이재현…, 시끄러워."

그리고 암전.

눈을 떴을 땐 새하얀 천장이 보였다. 양호실인가, 옆으로 고개를 돌리자 침대에 머리를 박고 자는 이재현이 보였다. 겨울임에도 불구하고 땀을 뻘뻘 흘리고 있었다. 헝클어진 앞머리를 정리해주며 괜히 어색해 생각나는 대로 말을 내뱉었다.

"재현아, 너 진짜 호구야? 내가 아프든 말든 무시하고 지나갔어야지. 나 같은 놈이 뭐라고 양호실까지 데려다줘. 너는 진짜 호구에 바보야. 네가 자꾸 이러면 나는 또 혼자 오해한단 말이야. 너도 나 좋아한다고, 나 혼자만의 착각이 아니었다고."

거기까지 말했을까. 이재현이 눈을 떴다. 몰래 도둑질을 하다 걸린 것처럼 입술을 움찔거리다 고개를 돌렸다. 이재현은 일어나자마자 내 눈을 똑바로 보며 말했다. 나도 좋아해. 너 혼자 착각이 아니고, 나도 너 좋아한다고 말을 하는 이재현의 눈에는 또 눈물이 고여있었다.

"왜 또 울고 그래. 울지마 재현아."

"대답이나 똑바로 해. 나도 너 좋아해. 이제 뭐라고 할 건데."

너도 참…. 못 말리겠다. 재현아, 좋아해. 나랑 사귀어줄래? 응 좋아. 기쁜 듯 웃는 이재현의 얼굴을 보자 심장이 또 미친 듯이 뛰었다. 식었던 몸이 다시 끓는 느낌이었다.

"너 남자친구로 빵점이야."

"벌써 점수 깎인 거야? 왜?"

"나 두 번이나 울렸잖아."

"아이고, 그래서 깎인 거야?"

그럼, 앞으로 두 번보다 더 많이 웃게 해주면 점수 다시 올라가나? 그런 시답잖은 소리나 하면서 학교를 나왔다. 학교 밖은 노을이 져 붉었다. 먼저 걸어가는 이재현의 걸음에 속도를 맞추고 깍지를 끼었다. 이재현의 귀가 노을처럼 붉어졌다. 그때랑 똑같네. 어쩌면 그때부터, 이재현이랑 나는 운명이었을지도 모르겠다.

마지막 인사

겨울방학이 시작하고, 나는 거의 이재현의 집에 살다시피 행동했다. 일어나자마자 이재현의 집에 가서 밖이 깜깜해질 때까지 이재현과 함께 있었다. 어떨 때는 그림도 구경하고 게임도

했지만 역시 제일 재미있었던 건,

"뭐야, 뭘 봐."

"남자친구한테 뭘 봐라니. 너무 까칠하다 재현아."

가만히 이재현을 구경하는 것이었다. 이재현은 매일 틱틱거렸지만 결국에는 웃으면서 나를 마주 봤다. 서로를 바라보고 있으면, 시간이 가는 줄도 모르고 좋았다. 그냥, 좋았다.

"오늘은 자고 가면 안 돼?"

그날은 특별했다. 크리스마스이브였고 이재현은 그날따라 자고 가라고 칭얼거렸다. 내일도 올 건데 그럼 일찍 자야지 재현아. 아무리 달래도 이재현은 다섯 살 아기처럼 계속 칭얼거렸다. 결국,

"딱 오늘만이야."

"응."

지는 사람은 나였다. 이재현이 나에게 무언갈 부탁하면 나는 질 수밖에 없었다. 이재현은 나 한정으로 무적이었다.

침대에 눕자 천창에 붙인 야광별이 반짝거렸다. 재현아 유치하다. 놀리듯이 말해도 이재현은 반응이 없었다. 설마 벌써 자나? 고개를 돌리자 야광별에 비친 이재현의 얼굴이 보였다. 이재현은 울고 있었다.

지구 종말론

"뭐야, 왜 그래, 왜 울어. 내가 놀려서 그래? 미안해 앞으로 안 놀릴게. 울지마 재현아."

"아니…. 그냥, 오늘따라 더 머리 아프다. 곧 죽나."

너는 무슨 그런 소리를 웃으면서 해, 섬뜩하게. 그런 일은 절대 없을 거야. 그냥 오늘은 조금 더 아픈 거야. 너는 절대 안 죽어.

이재현은 대답도 없이 그냥 웃었다.

무어의 역설
이재현의 몸이 움직이지 않는다.

486
잠에 취한 게 아녔다. 이재현은, 죽었다.
재현아, 들려? 사랑해. 내가 너무너무 사랑해 재현아.

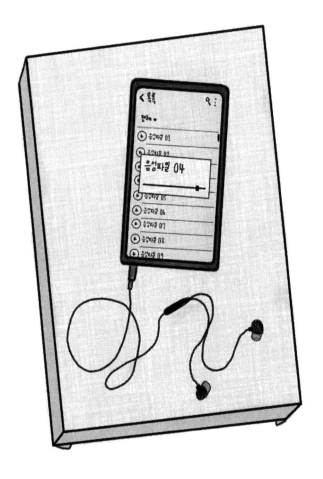

지구 종말론

해와 작가

<사건의 종말>

사건의 종말

"요즘 그런 거 있잖아. 그 뭐냐 북고풍?"

복고풍이겠지. 이딴 모국어 하나 못하는 부장 밑에서 일해야 하는 내가 너무 불쌍했다. 옆에서 근무하던 대리가 복고풍이라 정정하자 짜증을 내는 상사는 내 회사 생활을 부정한다.

"그거나 저거나. 뭐 아무튼 지운 씨. 지운 씨가 뭐 마케팅 그쪽 나왔다며. 그러니까 뭔가 옛날 느낌 낭랑하게 살려서 해 봐 한번. 이번 홍보 층이 그 딱 지운 씨 층이니까. 원래 내가 하려고 했는데 뭐, 지운 씨 생각해서 내가 특별히 어? 알지? 그 사원들이랑 잘 해봐요."

알긴 뭘 아냐고 하는 걸까? 자기가 하면 구석기 시대로 만들어야 하면서. 그 뒤로도 한참 동안 제 자랑만 늘어놓는 것을 기다리다 고개만 꾸벅이고 나왔다. 여기에 마케팅에 관련되어있지 않은 사람은 부장뿐이다. 오늘도 내지 못한 사직서는 책상 서랍에 하나. 가슴에 하나. 상상 속에 하나 품어둔 지 오래. 이 회사를 그만두면? 그래도 이쪽 업계에서 꽤 큰 곳이다. 이 정도 되는 곳을 또 들어갈 수 있을까? 모험을 다시 시작할 자신이 없는 낡은 배는 돛을 접은 채 새로운 바람을 기다린다.

그래서? 그래서다. 내가 방 어딘가에 넣어뒀던 초등학교 일기장을 찾은 것은. 초등학교 4학년 7반. 이거 하나 찾으려고 이

고생을 하며 온갖 곳을 다 뒤졌다. 다른 일기장들은 본가에 있는지 코빼기도 보이지 않았다. 책이 널브러진 곳 중앙에 앉아 하나뿐인 일기장을 펼쳤다.

1999년 9월 5일.
어머니가 슬러시를 사주셨다. 맛있었다. 옆에 있는 게임도 하고 싶었지만 안 된다고 하셨다. 오빠는 저번에 많이 하던데. 부러웠다.
1999년 9월 7일
큰오빠가 결혼했다. 결혼식장에는 먹을 것이 많았는데 그것을 먹지도 못하고 3시간이 넘어가도록 작은오빠 옆에 달라붙어 있어야 했다. 배고팠다.

쓸모없는 내용만 지속되었다. 자기 큰오빠 결혼식 보고 음식만 기록하는 머리도 다 안 큰 어린애 일기장에서 향수를 자극하는 무언가를 찾는다는 전제부터 틀려먹은 것이다. 심지어 학기 초도 아니고 말에 쓴 일기인 모양이었다. 이런 상태라면 다른 팀원들의 일기장에서 쓸만한 무언가를 발췌해내길 기대하는 것이 더 빠를 것을 알아차린 나는 그래도 노력했다고 당당하게 말이라도 할 수 있는 증거물인 일기장만 잘 챙겼다.
대충 팔랑거리며 넘기던 일기장 사이에 그림이 하나 존재했다. 아니 이걸 그림이라고 불러도 되는 걸까? 까맣게 칠해지기

만 한 기분 나쁜 장은 사람의 눈살을 찡그리게 만들기에 충분
했다.

2000년 1월 3일.
감나무 할아버지가 보이지 않는다. 저번 주 토요일부터 보이
지 않았다. 그래서 감나무 할아버지 집으로 가보기로 했는데.

거기 이후로 끊겨있었다. 크레파스인지 색연필인지 모를 것으
로 아래를 박박 문질러서 지워놓은 일기장은 글자 하나 보이지
않게 깔끔하게 읽을 수 없게 만든 것을 확인할 수 있었다. 이것
을 그림이라 할 수 있는지 고민도 잠시. 앞 장에 적혀있을까 싶
어 넘겨 보았지만, 꼴에 깔판이라도 대고 칠했는지 보이는 글자
하나 없는 게 과거의 나는 이런 것에 관심 있던 걸까? 싶었다.
어린애는 쓸모없는 일에 힘을 빼곤 하니까. 단편적으로 기억나
는 예전 일들 사이에 이 일기장이 칠한 이유만은 묘연했다.

1999년 12월 31일.
감나무 할아버지가 어려운 이야기를 다시 시작하셨다. 나는
타임머신이 있으면 무조건 미래로 갈 거다. 그런데 할아버지는
과거로 간다고 했다.
1999년 12월 28일
다들 곧 새해라고 신났다. 할아버지가 전쟁은 싫다고 하셨다.

사건의 종말

1999년 12월 25일

감나무 할아버지가 이상하다. 발전하는 세상이 싫다고 한다.

일기장의 감나무 할아버지는 흔하디흔한 옛것을 좋아하는 사람이다. 요즘 언어로는 꼰대. 그런데 내가 감나무 할아버지를 이상하다 칭하는 이유는. 할아버지는 미래를 굉장히 좋아하셨다. 그래. 20년이나 지난 내 머릿속에도 남아있을 만큼 할아버지는 그 말을 강조하셨다. 얼굴도 기억도 나지 않는 사람의 한마디.

"과거는 어리석고 미래는 그것을 청산할 것이다."

감나무 집 할아버지가 꾸준히 믿으셨던 한마디. 모두 새 시대가 올 것이라며 칭송하고 있던 그때 누구보다 행복할 것 같던 할아버지의 얼굴이 행복이 아닌 일그러진 무언가였을 때. 그때 나는 무슨 말을 했을까. 그 이상한 이도 저도 아닌 표정으로 평소처럼 미래를 향한 희망과 기대가 아닌. 두려움과 끔찍함을 겹친 듯한 것이었을 때. 나는, 나는 무슨 생각을 했던가.

"타임머신 좋네요. 이걸로 하죠."

선명한 원색으로 그려진 이상한 강아지 그림의 표지의 일기장을 들어 올린 과장이 만족스러운 미소를 지었다. 팀원끼리 선별해서 재밌는 거 정리해서 줬더니 시간이 남아도는지 굳이 굳이 남의 일기장을 읽고서 쓸모도 없는 능력을 발휘하는 것이

사건의 종말

참 그다웠다. 재미있는 소재 다 치워두고 한 줄밖에 없는 타임 머신으로 추억과 관련된 식품 광고를 뽑아내라니. 백일장에서 가장 쓸모없는 주제로 그림 그리라는 요구를 들어버린 학생처럼 나는 과장 눈에 띄어버린 일기장을 원망스레 내려다볼 수밖에 없었다. 과거는 현재의 오답지다. 완벽한 답안지 만드는 데 사용되는 실패들의 모임이란 말이다. 그것을 추억이라는 말로 곱게 포장하여 오답을 재현하라는 말이 얼마나 어리석은지. 그 사람들은 전혀 모르고 있다.

고작 한 줄 적혀있는 1999년의 12월 31일을 빤히 쳐다보았다. 칼로 긁으면 이 뒤 내용을 읽을 수 있을까? 같은 쓸모없는 생각이나 하면서 말이다. 벌써 20년은 더 된 기억을 되감아 보았다. 그러니까. 그날은. 새로운 시대니, 뭐니 하며 온갖 칭호를 붙인 것 치고는 평소와 같은 날이었다.

1999년 12월 31일 금요일. 세기말의 마지막 날에 제야의 종소리를 기다리던 날. 그날에 내려온 건 정전이었다. 달동네였던 산 중턱에 마을 사람들이 하나둘 모이기 시작했고, 한창 호기심 많던 어린아이가 그런 풍경이 달갑지 않을 리가 없었다. 무려 천의 자리 숫자가 바뀌는 날에 어른들도 굳이 아이를 억지로 재우려 하지 않았기에 나는 그 길로 평상으로 달려갔다. 우리 집에서 가장 가까운 곳에는 이미 3가족 정도가 모여 수다를 떨고 있었다.

사건의 종말

커다란 감나무 옆 놓여있는 커다란 평상. 감나무 할아버지는 동네에 하나 정도 있는 아이들에게 친절한 이웃이었다. 늦게 들어오는 부모를 위해 제 집 앞을 빌려주기도 하고, 간식도 주는 그런 사람. 중학교, 고등학교에 들어가며 이사도 가고 크면서야 할아버지 사정을 알았다. 항상 자랑스럽게 이야기하던 자식과 손주들은 죽은 이들. 과거는 과거라고 계속해서 말했던 것은 자기암시였을까 미래의 복수였을까.

어두컴컴한 집 안에서 어른들이 주전부리와 촛불을 챙기는 동안 아이들은 그 길로 평상 앞으로 집합했다. 불빛 하나 없는 산동네에 비추는 달빛은 서로를 구분하기에도 충분했고, 우린 그거 정도면 되었다. 얼마 되지 않는 시간 동안 순식간에 많은 이야기가 지나갔다. 민수가 교내 글짓기 대회에서 수상한 이야기. 달룡이가 개근상을 받았다던가, 학기 초에 진강이가 벌였던 장난 때문에 아직도 담임 선생님이 그 이야기를 운운한다던가. 하는 사소한 것들이었지만 그것마저 어린아이들에게는 즐거운 대화 주제였다.

"너희들은."

가만 듣기만 하던 감나무 할아버지가 입을 열었다. 애들의 싸움이 심화되거나 이야깃거리가 떨어졌을 때 종종 끼어드시곤 했지만 한창 이야기꽃을 피우던 중 말을 거시는 것은 거의 처음이었기에 아이들이 의아한 표정으로 할아버지의 이야기에 집

사건의 종말

중했다.

"너희들은 타임머신이 생긴다면 어떻게 쓰고 싶니?"

푸근한 미소로 말을 건 주제는 너무나도 흥미로운 것이었기에 아이들은 방금까지 저들이 무슨 이야기를 했는지도 잊은 채 그 주제에 대해 열렬히 토론하기 시작했다.

"저는. 저는 미래로 가서 제가 어떻게 되었는지 보고 싶어요."

"나는 미래에서 엄청난 발명품을 가지고 와서 팔 거야."

"저는 이 만화책 뒷이야기 읽고 싶어요. 다음 내용 너무 궁금한데 아직도 안 나왔어."

그때 나는 뭐라고 대답했더라. 4학년. 한창 제 잘난 맛에 살고 있던 때.

"고작 그런 거 하려고 가냐? 안 봐도 내가 최고인 것은 당연한데. 좀 더 생산적인 일에 쓸 거야."

"어떤 거?"

그래 너 얼마나 잘났냐 보자는 아이들의 날이 선 말도 다 나에 대한 질투로 생각했던 시절.

"당연히 로또 번호지. 이건 운에 기대는 영역이니 내가 할 수 없는 유일한 거야."

몇 명의 감탄. 몇 명의 투덜거림. 아이들은 아무도 과거라 대답하지 않았다. 후회할 것이 없을 정도로 어려서였을까? 아니면 미래의 알 수 없는 무언가가 더 탐나서 그런 것이었을까? 아이들은 어른을 모방하는 존재이니 감나무 할아버지의 미래 지향론의 영향이 컸을지도 모르겠다. 지금의 나라면 망설임 없이 과거를 택했을 것이다. 그렇다면 학과 상관없이 서울에 가까운 대학에 갔을 테고 내가 원하는 무언가가 아닌 돈을 더 많이 버는 직업으로 진로를 잡았을지도 모를 일이다. 그때의 가치 높은 일이 아닌 현대의 기준으로 높은 가치를 얻어갈 수 있었을 텐데. 그때 다들 미래를 꿈꿀 때 할아버지가 평소와 다르게 슬픈 표정을 지은 것도 그 때문이었을까? 어린아이의 오만한 판단력으로 할아버지의 그 표정은 자신을 빼놓고 이야기하는 데에 있을 것이라는 가설이 한계였다.

"할아버지는요? 할아버지는 어디로 갈 거예요?"

"과거."

당연히 미래일 것으로 생각하고 물은 것이었는데 할아버지는 꽤 의외의 대답을 하셨다. 어? 항상 미래가 최고라고 하셨잖아요. 항상 미래지향적으로 살아야 한다고. 과거는 어리석고 실패뿐인 답안지라고 했던 할아버지는 어떻게 되었더라? 결국, 어느 것이 정답이었던가?

"지운 님. 이거 오늘 3시까지 필요하다고 했는데. 다 됐나요?"

"아. 네네. 여기 있어요. 잠시만요."

사건의 종말

지금 머리 굴려봤자 답이 나오지 않을 것 같아 남아있는 업무에나 집중하기로 했다. 급한 것도 아니고 한 번 회의 더 해보면 타임머신과 옛날 추억은 어울리지 않는다는 것을 깨닫겠지. 애초에 관심사가 휙휙 바뀌는 사람이기도 하고 이런 쓸모없는 자기주장을 계속 펼칠 사람이었으면 거기까지 갔겠는가. 나름 합리적 결과를 도출하며 눈앞에 있는 일들을 치우는 것에나 집중하기로 했다. 희미하게 장면들로만 기억 나는 옛날이야기는 언제라도 돌아볼 수 있고, 기록하지 않는다면 장면 사이사이는 결국 내 환상으로 채우는 것이 기억이다. 기억하고 싶은 것만 기억하고 불필요한 정보는 없애서 결국 내 마음대로 잡아두는 쓸모없는 것들을 생각하며 다시 책상 위에 얼굴을 묻었다.

다음 날 회의에서 예상한 대로 주제가 바뀌었다. 자기가 집에 가서 생각을 해봤더니 타임머신보다는 그때 그 시절 문방구가 더 낭만 있을 것 같았단다. 애초에 접목이 어려운 주제였기에 신입을 제외하고 설렁설렁 쓸모없는 아이디어만 가지고 온 회사의 고인물들이 환호했다. 나름대로 열심히 해보려 했는지 A4 용지 몇 장에 걸쳐 열심히 아이디어를 적어 가지고 온 신입만 불쌍하게 되었다.

"가온 씨는 이거 혹시 기억하려나?"

"아 저희 동네는 그런 거 없었어요."

신입을 데리고 우리랑 너무 다르다며 웃는 주임들은 별로 나이 차이도 나지 않는 사람들이었다. 젊어서 새로운 것을 도전할 수 있는 나이. 새로운 것을 도전하기엔 늙었고 연륜을 뽐내기에는 턱없이 부족한 어중간한 나 같은 사람들이 아닌 진정한 모험가들을 외면하며 믹스커피 하나를 뽑았다. 나는 타임머신이 생긴다면 무조건 과거로 갈 것이다. 내 인생을 언제든 새로 시작할 수 있을 만한 돈과 발판을 만들 것이다.

물론 젊은 것이 뭔들 못하냐 했지만 넘치는 패기로 신입이 저지른 일 덕에 팀에게 두루두루 영향을 미쳐 강제 야근을 하게 된 나는 기분이 몹시 더러웠다. 오늘은 심지어 금요일이었는데 말이다. 새벽 1시에 환하게 켜진 빌딩을 나오며 인상을 찌푸린다 한들 그걸 알아줄 사람은 아무도 존재하지 않았다.

씻고 맥주 하나를 챙겨 침대 헤드에 기대어 예능 재방송에 채널을 맞췄다. 그것을 즐겨 보는 편은 아니지만, 소음으로는 나쁘지 않다고 생각하며 그때 있었던 일을 다시 떠올리려 애썼다. 프로젝트의 방향성은 이미 달라졌고 그 일은 나와 이제 상관도 없는 일인데 왜 다시 생각하냐 한다면 나는 그조차도 모른다고 대답할 것이다.

깡-하는 청명한 소리와 함께 바닥에 캔이 부딪쳤다. 주워야 한다는 것을 인지했으나 몸은 움직여지지 않고 잠이 끌어당기는 것에 몸을 맡겼다. 텔레비전에서 과장해서 웃는 웃음소리가 점점 뭉툭하게 들리기 시작할 때쯤에서야. 나는 커다란 호수에

사건의 종말

도착할 수 있었다.

꿈을 꿨다. 텅 빈 무대 위에 나는 혼자였고 고르게 퍼져있는 조명들이 눈부시게 내 위에서 내려왔다. 무대 뒤로 도망치려 했지만, 그쪽도 별다른 건 없어 내가 할 수 있는 일은 눈을 감고 달리는 것뿐이었다. 그렇게 한참을 달렸다. 꿈이라는 것을 인지하지 않으니 느릿하게 마치 물속에 빠진 것처럼 달리기만 계속했다.

"얘야."

어떤 사람의 목소리가 들리기 전까지는 말이다.

"더 가면, 위험하단다."

산을 배경으로 우리 마을이 펼쳐져 있었다. 왜소하게 마른 노인이 평상에 앉아 제 옆자리를 손으로 툭툭 두드렸다. 꿈이 내 의식의 반영이니 뭐니 하지만 꿈에서 내가 할 수 있는 일은 아무것도 없었기에 그 옆에 가서 조용히 앉았다.

"저기로 가면 뭐가 있는데요?"

보통 이런 꿈은 저승 가는 꿈이던데. 꿈을 꾸는 동안에는 마치 동화 나라를 여행하는 것 같다고 생각하며 그 옆에 앉아 다음에 올 말을 기다렸다. 동화에서는 항상 가지 말라는 곳에 가서 공주를 구출했고, 보물을 찾았다. 물론 주인공이기 때문에 가능했겠지만 말이다. 저기 들어가서 살아나온 사람은 없어!! 하는 사람들을 뿌리치고 당당히 들어가 원하는 것을 쟁취해오는 주인공. 나는 그 살아나오지 못한 사람을 맡는 세상의 엑스트라이니 굳이 할아버지의 경고를 무시할 일은 없지만 말이다.

"저곳은. 내일이야. 위험해."

뭐? 내일이 위험하기는 무슨. 들을 가치도 없는 말이었다. 이미 내 몸은 그 사람을 무시하고 일어서고 있었다.

"들어! 위험하다고! 너는. 너는 내일을 겪어본 적이 있느냐?"

내일. 매일 겪는 것이다. 내일은 오늘이 되고, 오늘은 어제가 된다. 당연한 말이다. 내일은 살지 않으면 우리는 어디서 멈춰 있어야 한단 말인가.

"2000년을 살아본 적이 있니?"

장소는 또 금방 바뀌었다. 정전된 집들. 그 위로 내려오는 별들. 금방이라도 그 위에 발을 맞출 수 있던 것 같았고, 그 옆에서 도란거리며 들리던 이야기 소리. 나의 유년기. 1999년의 마지막 날.

"3000년을 살아본 적이 있어?"

있을까? 그때는 환경오염으로 망했을 수도 있겠다. 로봇이 지배를 시작했다거나. 이미 인간은 혼자 살기 힘들지도 모르지.

"3000년은 위험해. 과연 기술만 순수하게 발전해서 문명을 이뤘을까? 인간이 살기 힘들 거야. 항상 우리가 예상한 것과 다르게 우리는 발전하고 전쟁하니."

교과서 같은 말이었다. 그러므로 우리는 협동하며 세계를 바

사건의 종말

르게 이끌어 갈 의무를 지고 있고 평화를 사랑해야 하며, 약자를 도와야 한다. 같은 문장들 말이다.

"그렇게 위험한 곳에 갈 수 있다면 넌 갈 거니? 그래. 예를 들어 타임머신 같은 걸로 말이다."

"아뇨. 위험한 모험을 제가 할 필요는 굳이? 그런 일은 없을 것 같네요."

합리적인 거다. 내가 왜? 그 어떨지 모르는 위험한 곳에 지금까지 쌓은 모든 것을 포기하고 가는가. 그럴 수 있을 리가.

"그럼 2000년은? 그건 뭐가 달라?"

"다르죠. 확실히 다르죠. 내일인데. 바로 다음 날이잖아요. 24시간도 안 되어서 찾아올 가까운 것인데."

"방금 3천 년이면 도망치겠다면서?"

"그건 더 멀잖아요."

"아직 오지 않은 미래라는 점에서는 같지."

노인은 커다란 호수의 시계를 바라보고는 나를 향해 한숨을 내쉬었다.

"기술과 미래는…. 나한테 해방과 자유를 가져다줬지만…. 그 전에도 그 후에도 나는 그걸 위해서. 일했어."

노인의 형상이 점점 더 구체화되기 시작했다. 어느샌가 평상 옆에 생긴 감나무가 그가 누군지 알려주는 것 같았다.

사건의 종말

감나무 할아버지는 일제강점기와 6.25를 모두 버텨낸 사람이었다. 그에게 새 사상과 기술은 전쟁과 노역에서의 해방해주었지만, 또 그 사상을 지키며 기술을 차지하기 위해 싸워야 했다.

1999년 12월 28일
다들 곧 새해라고 신났다. 할아버지가 전쟁은 싫다고 하셨다.
1999년 12월 25일
감나무 할아버지가 이상하다. 발전하는 세상이 싫다고 한다.

새롭게 발전한다. 새 시대가 온다. 좋은 것들만 온다면 얼마나 좋을까? 그거 하나를 얻기 위해 이래왔으니 결론적으로 좋았어도 잃어버린 과거의 것이 생각날 수밖에 없다.
"넌 미래로 갈 거니?"
산 앞의 호수에 비친 커다란 시계가 서서히 돌아가고 있었다. 더 왜소해져 버린 노인이 시계를 바라봤다. 12시에 가까워질수록 노인은 눈에 띄게 안절부절못하더니 결국 일어났다.
"나는 과거로 돌아갈 거야? 너는?"

2000년 1월 3일.
감나무 할아버지가 보이지 않는다. 저번 주 토요일부터 보이지 않았다. 그래서 감나무 할아버지 집으로 가보기로 했는데….

사건의 종말

가려져 있던 글자들이 드러난다.

감나무 할아버지 집으로 가보기로 했는데 어른들이 말렸다. 커다란 감나무가 있는 집 앞까지 와서 나와 종수는 그대로 돌아갈 수밖에 없었다. 어쩔 수 없이 놀이터로 내려가 놀기로 했다. 놀이터까지 내려가는 도중에 경찰 아저씨를 두 번이나 마주쳤다. 구급차도 봤다. 그네를 탔는데 허공에 매달려 있는 할아버지가 자꾸 생각났다.

"너는?"

어지럽고 혼란스러운 일기장의 글자들을 뚫고 재촉하는 질문이 한 번 더 날아온다. 같은 질문들 두 번 던진 노인이 잠시 침묵하며 내 대답을 기다렸다. 나는? 어차피 둘 다 보지 못한 곳인 것은 똑같다. 나는 알고 있는 과거에 계속 머문다면 안정적으로 살 수 있다. 계속 본 곳을 또 보며 이상한 모험 같은 것 하지 않고 편안하게…. 언제나처럼 돛을 접고 바람을 기다리며 내 인생이 데려다줄 미래를 기다리며. 이게 미래인가? 과거에 상주하는 것과 다를 것이 뭐지? 똑같이 기다리는 것이라도 돛만 펼치고 기다린다면….

항상 무표정으로 나를 응시하던 노인이 희미한 미소를 띠었다.

사건의 종말

"그래. 잘 가. 수동적으로도 미래는 맞이할 수 있지."

초침이 11시 59분과 함께 움직이기 시작하자 노인은 일어나 아까 내가 가려던 반대 방향으로 걸었다. 나는 그 자리에 가만히 앉아 있었다. 커다란 시계가 자정을 넘겼지만, 갑자기 환경오염이 가속화된다거나 로봇이 인간을 지배하지는 않았다. 그냥 다음 날이었다. 그게 전부였다. 나는 미래를 향해 걸어가지 않았고 산을 따라 찾아온 무대의 조명이 나를 비출 때까지 나는 그대로였다. 나는 가만히 있었고 미래에 도달했다. 도망치지 않은 것만으로도 나는 이 자리에 올 수 있었던 작은 기억을 되새기며 그 자리에서 전혀 움직이지 않았다. 따뜻한 손길이 머리를 쓸어 넘겼다.

이 이상한 꿈은 더 이상 나지 않는 기억의 틈새를 억지로 만들어낸 환상이 날리는 일침과도 같아 내 인생을 마음대로 재단하는 것 같아 무척이나 불쾌했으며 동시에 따뜻했다. 누구보다 듣고 싶던 말을 들려준 환상에서 좀처럼 벗어나지 못하고 침대에 굴러떨어진 채 해가 뜨는 것을 지켜봤다. 느리지만 당연하게도 떠오르는 해를 보며 다시 눈을 감았다. 햇살 좋은 아침이 온전히 내게 올 때까지. 회사에서 1시간 걸리는 우리 집의 창문에 밝은 무대 조명이 비췄다. 마치 내가 주인공이라는 듯. 나에게 스포트라이트를 내려주는 조명연출자는 항상 그 자리에 있었는데 내가 구석 자리를 알아서 찾아갔는지도 모르겠다. 전원이 나간 휴대전화에 충전기를 연결하고 욕실에 들어갔다. 지각이라는 것을 알면서도 더욱 여유롭고 느긋한 게 이런 여유가 얼마 만이었는지 모르겠다. 머리에서 뚝뚝 떨어지는 물을 대충 짜낸 후 휴대전화의 전원을 켰다. 금방 밝아진 화면에 부재중 전화가 찍혀있고 메신저의 숫자는 득달같이 올라갔다. 무단결근이라니. 머릿속에는 이래도 되는 걸까? 라는 생각이 떠나지 않았지만 그렇다고 내 행동이 빨라지는 것은 아니었다. 구두까지 갖춰 신은 후. 늘 가던 버스 정류장이 아닌 반대로 걸었다. 30분 동안 다른 버스 정류장을 향해 걸었다. 서늘하고 시원한 그늘이 아닌 나에게 주는 스포트라이트를 온전히 맞으며. 드디어 나는 내 인생을 즐길 준비가 되었다는 확신이 들었다.

회사에 도착해 고개를 숙였다. 걱정하는 말들, 훈계하는 말들이 하나도 귀에 들어오지 않고 웅웅거렸다. 그냥 드디어 때가 되었다고 생각했을 뿐이었다.

辭職書. 책상 위에 그 봉투를 올려놓기에는 그렇게 어려운 일은 없었다. 그것은 내 최초의 선택[選擇]이었고 누군가에게는 최악의 결정[決定]이었다. 그리고, 앞날 같은 것은 모르는 최고의 행복이었다.

다시 생각해 보라는 말에 고개를 저었다. 괜찮은 회사였다. 어차피 그만둔다고 바로 다음 날부터 나오지 않는 것도 아니고

그냥 남은 유예기간을 즐기기로 했다. 온전한 무대에 설 준비를
하기에는 넘치는 시간이었다.

사건의 종말

사건의 종말

물망초 작가

<메리골든 반드시 오고야 말 행복>

메리골든 반드시 오고야 말 행복

내게는 인간이지만 누구보다 예쁘고 자상하며 따듯한 어머니와 신수(神獸)로서 갖춰야 하는 기본 상식이나 예법에 엄격하지만… 그래도 누구보다 우리를 아껴주던 아버지, 늘 츤데레 같던 우리 누나, 나를 잘 따라주는 귀여운 장난꾸러기 동생들이 있었다.

우리는 비가 새는 집에서 살아도, 장난감이 부족해서 늘 서로에게 양보해야 했어도, 그런 날들이 반복되어도 불행하다고 생각했던 적은 단 한 번도 없었다. 오히려 눈치를 보지 않고 살 수 있는 이런 곳이어서 더 행복했다. 아니, 행복했었다.

내 가족들이 내가 약초를 캐러 나갔다가 온 사이 전부 삼촌의 기사들에게 잡혀가기 전까지는 그랬지. 어째서, 왜 잡아간 거야? 어머니도 아버지도 누나도 동생들도… 다들 좋은 사람들인데, 우리 가족들이 도대체 뭘 잘못했다고 원치 않은 이별을 해야 하는 거야? 우리는 절대 폭주 같은 거 하지 않았어. 우리 모두 가난으로 힘들어도 서로만 있으면 충분했고 행복했는데 광폭화 같은 걸 할 리가 없잖아.

'반역자의 아들이기도 하지만 그전에 나의 조카라는 사실 역시 부정할 수는 없지. 나 역시 어린 조카를 잡아 고문하기엔 마음이 편치 않으니, 근처 가뭄이 든 마을에 가서 비를 내려주어

마을을 구하도록 하거라. 그 대신 우리들의 정체를 들킬 수는 없으니, 고양이의 모습으로만 지내도록.'

어린 조카라니, 내 동생들이랑 누나까지 전부 잡아 가둬놓고는… 전부 잡아 고문하기에는 지지자들이 무서웠나 보지? 광폭화한 신수 가족 중에 유일하게 타락하지 않은 아이를 구원한다라, 딱 좋은 그림이네 뭐. 게다가 인간의 몸이 아니라 고양이의 몸으로 그런 기적을 보이라니 결국엔 그냥 사특한 것으로 몰려 죽으라는 것 아닌가.

마을을 위해, 또 나의 구제를 위해 보내는 척하지만, 그곳에 있는 신수들도 사실은 삼촌이 계승권이 높은 내가 거슬리고 위협이 되어서 유배 보내는 거라는 사실을 알고 있을 거야. 삼촌이 자기 손을 더럽히기 싫어서 마을에 보낸다는 거 그곳에 보낸다는 거 전부 다 알고 있을 거고…. 하지만 삼촌 뜻대로는 되지 않을걸? 절대 나는 그곳에서 죽지 않을 거야. 나도… 나도 행복하게 살고 싶어! 죽고 싶지 않아, 모두를 적으로 돌려서라도 행복해지고 싶어. 반드시 살아남아서 삼촌의 뜻과 반대로 반드시 행복해질 거야.

나는 그렇게 달구지에 탑승하여 가뭄이 든 마을로 향했다. 내게 평화로운 순간은 허락되지 않는다는 듯이 평화롭게 조용히 마을로 가던 달구지는 얼굴을 가린 자들이 습격하면서 평화가 깨졌다.

48

"누구의 명령으로 나를 노리는 거지? 당장 말해!"

그들에게선 당연하게도 돌아오는 대답 따윈 없었다. 뭐, 사실 어렴풋이 알고 있었지만. 그런 내 물음에도 그들은 그저 내가 목표라는 듯 검을 꺼내어 한꺼번에 내게 달려들었을 뿐, 입 한 번 벙긋하지 않았다.

얼마의 시간이 지난 거지? 여긴 어디고? 모르겠다, 아니 알 수 없었다. 내 몸에서 쏟아진 선혈들이 땅과 옷을 적시고, 내 체력과 의식을 빼앗아 갔다. 내 비밀 장소도 이 상태론 어딘지 알 수 없다.

"흐…."

기력이 다한 내 몸은 고양이로 변했다. 이렇게 삶을 끝내야 하나 싶었던 그때 내 눈에 들어온 게 있었다.

"빛인가…?"

저 멀리 마을로 보이는 한 무리의 빛이 희미하게 보였다.

살기 위해 그곳까지 걸었다.

그러나 간신히 도착한 그 마을에서 내가 마주한 것은….

"저리 꺼지지 못해! 불길한 검은 고양이 주제에 뭘 훔쳐 가려고 감히 기어들어 오려고 하는 거야!"

'어째서, 왜 나를 배척해? 나 들어가려고 하지 않았어, 아무 것도 훔치지 않았어! 그저 내 털이 검은색이라는 이유로 왜 내게 돌을 던져? 이딴 마을 같은 거 구해주고 싶지 않아!'

"에라이 오라는 비는 오지 않고 오지 말라는 더러운 재앙 덩어리만 오네, 썩 꺼져!"

다시 던진 돌에 머리가 찢겨 피가 나는 게 느껴졌다.

'이딴 마을 같은 거 내 목숨을 걸어가며 구해주고 싶지 않아!'

나는 비밀 장소로 돌아가기엔 피를 많이 흘린 상태였기에 근처에 있던 수풀 사이로 숨어들었다. 계속 숨어있다 지쳐서 잠에 빠져들자, 오랜만에 꿈속에서 엄마랑 아버지랑 누나랑 동생들이 나타나 나를 안아주고 쓰다듬어주는 꿈을 꾸었다.

"먀야….(여긴 어디지?)"

깨어나 보니 상처투성이였던 내 몸에 붕대가 감겨 있었다. 혹시 삼촌의 사람들에게 잡힌 걸까 봐 급하게 일어나려고 했지만, 다리에 힘이 풀려 그대로 쓰러졌다. 아무래도 한동안은 심한 상처를 입은 몸으로는 더 이상 움직이기 힘들 것 같았다. 반은 인간이어도 일단 신수니까 이 정도 상처는 금방 나을 테니 아무래도 그들의 빈틈을 노려 처리하고 도망쳐야 한다, 고 생각 한 그 순간, 낯선 여자가 들어와 나를 내려다봤다.

"아가 깨어났어? 아직 상처가 다 낫지 않았으니까, 함부로 움직이지 말아 주라. 처음 발견했을 때 피를 많이 흘린 상태여서 내가 얼마나 놀랐는지 알기나 해? 내가 조금만 널 늦게 발견했으면 큰일 날 뻔했어."

"하악!!!"

나를 쓰다듬으려고 손을 뻗는 낯선 여자아이를 발톱 세워 세게 쳐냈다.

'싫어! 다가오지 마! 이제 너희 같은 더러운 인간 새끼들 따위 안 믿을 거야! 너도 나에게 얻을 게 없으면 나를 해칠 거잖아!'

"어머 아가 아직 많이 아픈가 보구나? 많이 무섭지, 미안해."

여자애는 긁혀 피가 나는데도 다친 자기보다 놀란 날 더 걱정하는 모습에 끌려가는 와중에도 나를 더 걱정하던 어머니가 떠올라 속이 울렁거렸다.

"아가, 배 많이 고프지? 금방 밥 가져다줄 테니까 조금이라도 먹어주라"

여자는 자기 말만 한 채 나갔다. 상처 입은 온몸이 너무나 아파서 웅크렸다. 엄마랑 아버지랑 누나랑 동생들이 내 곁에 있어 줬더라면 내 상처를 핥아 주고, 내 털도 정리해줬을 텐데…. 너무나도 가족들이 보고 싶었다. 계속 그렇게 훌쩍이다가 다시 지쳐 잠들었다. 아까 내가 그들을 그리워해서인지는 모르겠지만, 다시금 꿈속에 가족이 나타나 내 털을 핥으며 정리해주는 꿈을 꿨다.

다시 깨어나자 여자아이가 내 상처에 약을 발라주고 붕대를 감고 있었다. 감히 미신에 흔들리는 하찮고 추악한 인간 주제에 고귀한 나를 건드는 게 너무나도 마음에 안 들었기에 손톱을 세워 여자아이의 손등을 세워 긁었다.

"아야야…, 미안해 많이 아팠어? 금방 치료 끝내줄 테니까 기다려 주라. 치료 끝나고 다시 밥 가져다줄게."

"먀아악!!(이거 놓으란 말이야!)"

여자아이는 내가 발버둥 치든 자기를 공격하든 무시하고 상처에 붕대를 다 감아줬다. 그러느라 내게 긁혀 다쳤으면서 뭐가 그렇게도 좋은가 계속 안심한 듯 웃었다. 그녀는 잠시 나갔다 오더니 뭔가 음식물 쓰레기를 모아둔 것만 같은 음식을 내게 가져다줬다. 이게 뭔가 해서 그녀를 가만히 쳐다보자, 그녀는 이 한마디만 했다.

"배고플 텐데 어서 먹어."

나는 배는 고팠지만, 그녀가 삼촌이 보낸 사람이라면 분명, 아니 삼촌이 보낸 사람이 아니어도 내가 검은색 털을 가졌다는 이유만으로 쥐약을 탔을 것만 같아서 먹기가 꺼려졌다. 계속 내버려 두면 계속 먹으라고 할 것만 같아서 더러운 쓰레기가 담긴 그릇을 앞발로 쳐내어 뒤엎었다.

"으으…. 역시 경계하느라 안 먹을까나?"

그 후 삼 일 동안은 똑같은 나날을 보낸 것 같다. 나는 계속 자면서 몸을 회복하고 그녀는 지극정성으로 간호해 주었으며, 계속 내게 쓰레기 같은 걸 먹이려고 했다. 언제 다시 잠들었는지 정신을 차리자, 밖이 어두워져 있었다. 이번에도 붕대를 갈 았는지 피로 물들었던 붕대가 새 붕대로 바뀌어 있었다.

"아, 일어났네? 저쪽에 영양가 있는 죽 끓여 놓았으니까 먹어 주면 안 될까? 벌써 여기에 온 지 4일이나 되었는데 그동안 아 무것도 안 먹었잖아. 뭐라도 먹어야 기운이 나고 상처가 빨리 아물지…."

아직 그 여자아이가 수상했지만 더는 굶주림을 참지 못할 듯 했기에 조심스럽게 옆에 있던 음식물 쓰레기 같은 걸 먹었다.

"냐아!!(맛있다!)"

"안 빼앗아 먹을 테니까 천천히 먹어, 그러다가 체하겠다."

여자는 내가 먹는 걸 보는 것만으로도 배가 부르다는 듯이 급하게 먹는 나를 웅크려 바라보며 환하게 웃어줬다.

'멍청한 인간. 그렇게나 긁히고도 웃음이 나오나? 이 인간은 분명 어디 가서 싫은 소리 못할 거야. 마침 얻어먹은 것도 있으 니 내가 지켜줘야겠다.'

나날이 갈수록 여자아이를 보는 내 마음이, 감정이 변해가는 게 느껴졌지만, 그걸 인정하면 더 이상 돌아가지 못할 걸 알기 에 이 마음의 정체를 완전히 알기 전 멍청한 인간이라 내가 지 키지 않으면 다친 것이 나을 때까지 나를 지켜줄 하인이 없어 지는 거라 그런 거라고 나 자신을 속이기로 했다.

메리골든 반드시 오고야 말 행복

그러던 어느 날 밖에 비가 오는 소리가 들려와 잠에서 깼다. 어째서인지 평소와 달리 내 근처에 없는 소녀에 의아해 찾으러 나가자, 저 멀리서 우는 소리가 들려왔다.

"마아….(왜 울어? 무슨 일 있어? 아직 너를 완벽하게 믿지는 못하지만, 그렇다고 해서 네가 울길 바란 것도 아니고 네가 울어도 괜찮은 것도 아니란 말이야.)"

"미안, 우는소리 때문에 깨어난 거야? 더 자, 춥겠다. 금방 온돌 돌려줄게."

여자아이는 내 울음소리에 그제야 나를 봤는지 눈물을 급하게 닦아내고 환하게 웃었다.

"따뜻하지?"

아궁이를 떼어 온돌을 돌리는 여자아이의 환한 미소가 어째서인지 환하게 빛나 보였다. 분명 불빛 때문에 그렇게 보인 거라고 생각하고 믿어야 한다. 이 마음을 알아챈다면 나는 약점이 생기는 것이니까. 어째서인지 까만 귀가 붉어져 있을 것 같아 귀를 두 앞발로 가렸다.

"오늘은 내 곁에서 잘래? 싫으면 거절해도 괜찮아, 너에게 부담 주고 싶어서 꺼낸 말이 아니니까. 넌 사람 말을 알아듣는 천재 고양이니 알아들을 것 같아서."

"마야….(뭐 알겠어. 그걸로 네가 더 이상 울지 않을 수 있다면야 상관없으니까.)"

그 말을 하며 나를 쓰다듬어주는 여자아이의 손이 너무나도 떨렸기에 나는 도저히 그 아이의 부탁을 거절할 수 없었다.

그러던 찰나, 아이는 내게 자신의 속마음을 털어놓았다.

"있잖아, 우리 부모님은 늘 말버릇처럼 우리가 움직이지 않으면 부패한 이 사회는 변하지 않는다고 했었어. 매번 어린 나에게 우리 사회는 전부 모두의 움직임에 달려있다고 말씀하셨고, 끝까지 부당한 현실에 맞서 싸우시다 돌아가셨어. 나 역시 그런 부모님을 존경하고 있어…."

"근데 아주 가끔은 숨이 막혀. 계속 죽은 부모님 시체만 떠오르고 내게 웃어주던 모습도 나에게 사랑한다고 해주던 모습도 떠오르지 않아… 네가 알아들을 거라고는 기대하지 않지만 그래도 위로받고 싶어."

그 아이의 목소리와 눈빛에는 체념 그리고 부모님에 대한 그리움밖에 남아있지 않았다.

'넌 내가 모를 거로 생각하겠지만 누구보다 더 잘 알고 있어. 나 역시 부당하게 가족을 잃었으니까. 나는 가족들이 부조리하게 갇혔을 뿐 죽진 않아서, 네 아픔을 전부 다 이해한다고 하지 않을게. 그렇지만 내 온기가 그나마 네게 위로이자 쉼터였으면 좋겠어.'

그런 생각을 하던 찰나, 아이는 다시 입을 열었다.

"사실 우리 마을이 예전부터 이렇게 이상했던 건 아니었어.

분명 우리 마을에 외부인이 자주 여행하러 왔었고 조용하고 평범한 마을이었거든? 그러던 어느 날이었지. 우리에게 곡식을 베풀어주신 양반님이 돌아가셨어. 그런데 참 이상하게도 그 이후로부터 마을에 땅이 갈라지기 시작했어. 아무튼… 그 이후로는 우리에게 친절하시던 사또께서도 돌아가셨지."

그 말을 끝으로 찾아온 정적에 홀린 듯 우리는 서로의 온기에 기대어 그대로 잠에 빠져들었다.

잠결에 주변이 소란스러워서 깨어나자, 아이는 급하게 외출복으로 갈아입고 있었다.

"냐아아…?(어딜 그렇게 급하게 가는 거야?)"

"오늘은 좀 늦게 들어올 것 같아. 오늘 내 친구가 와서 밥 챙겨줄 거고, 좋은 아이니까 너무 경계만 한다고 밥을 굶거나 하지는 말아 줘."

아이는 불안한 눈빛으로 쳐다보는 나를 발견하고는 나를 조심스럽게 쓰다듬으며 걱정스러운 충고를 했다.

"…? 먀아아옹.(조심해서 다녀와야 한다. 하인.)"

"다녀올게."

아이는 꼭 내 말을 알아들은 듯 말하곤 내 배웅을 받으며 밖으로 향했다. 아이를 기다리기 지루해 낮잠을 자고 일어나 보니 낯선 여자아이가 내 옆에 앉아 있었다.

'아, 이 애가 아까 하인이 말한 그 녀석인가 보네.'

메리골든 반드시 오고야 말 행복

"안녕? 네 이야기는 가령에게 많이 전해 들었어."

"망.(아 그래, 짧겠지만 잘 부탁해.)"

여자아이는 나를 바라보며 조심스럽게 인사하고 나를 해치지도 않았지만, 하인과 다르게 뭔가가 계속 마음에 안 들어 대충 인사만 하고 고개를 돌려버렸다.

"어디 아파? 왜 이렇게 기운 없어 배고파서 그래? 뭐라도 좀 먹을래?"

"마아악!!!(귀찮게 하지 말고 저리 꺼져!!)"

웅크려 있던 중 쉬지도 못하게 계속 툭툭 건드는 여자아이에 신경이 거슬려 발톱을 세워 손을 쳐냈다. 그 후 나는 여자아이랑 같이 있기 싫어 그대로 내 하인이 날 위해 만들어준 자리를 향해 도망쳤다.

"화났어? 내가 미안해. 건들지 않을 테니까 화 풀어주라, 응? 제발"

"밥 안 먹게? 조금이라도 먹어줘."

"안 심심해? 같이 마당에 나가서 놀자."

"어디 아파?"

하인의 친구인 여자아이는 지겹지도 않은지 편히 쉴 것 같으면 나타나 말을 거는 것을 몇 번이나 반복하며 내 편안한 휴식을 흩트려놨다.

"야옹아."

"야아옹.(또 뭔 말로 귀찮게 하려고 계속 불러대는 거야?)"

지치지도 않고 계속 무시하는 나를 부르는 여자아이의 목소리에 나는 짜증 나서 인상을 찌푸리며 짜증 섞인 목소리로 대답했다.

"있지, 부탁 하나만 해도 될까? 나 대신에 무슨 일이 있어도 가령이 곁을 지켜주라… 나는 가령의 곁을 더 이상 지켜주지 못하니까, 나 대신 네가 마음이 여린 가령을 지켜줘. 그 아이 곁에 아무도 없으면 그 아이는 결국엔 마음의 병으로 조용히 시들어 버릴 거야."

"냐아….(그렇게 걱정되면 네가 앞으로도 지금처럼 그 아이 곁을 지키면 되는 거 아니야?)"

저 아이가 그렇게도 아끼는 하인을 두고 왜 떠나가는지, 왜 이렇게 저 아이가 금방이라도 눈물을 흘리고 무너져 버릴 듯이 위태로운지는 도저히 나로서는 이해하기가 힘들었다.

'너도 결국엔 너만의 사정이 나름 있구나? 걱정하지 마, 나도 내 하인이 다치는 모습, 무너지는 모습 더 이상 보기 싫으니까. 완벽하게 지켜내줄게. 그리고… 너도 특별히 내가 지켜줄 테니 영광인 줄 알아. 신수의 보호를 받는 인간은 그리 흔하지 않을 테니까.'

나는 속으로 그녀에게 맹세하며 그녀의 무릎 위에 올라가 앉았다. 그녀는 조심스러운 손길로 나를 쓰다듬었다. 그녀는 내 등에 고갤 파묻었다. 등이 축축해지는 느낌에 불쾌했지만 나를 안고 울던 하인의 모습을 떠올리니 불쾌감이 덜해져 편하게 울 수 있도록 내버려뒀다.

"냐냐.(잠들었네.)"

나는 조용히 빠져나가 하인의 밭이 있는 곳으로 향해갔다.

아무래도 양반이 억울하게 죽은 후 마을에 복수하려고 이러는 것 같은데 신수인 내가 아니면 이 마을은 계속 고통을 받겠지? 근데 이 마을을 왜 구해줘야 하는지 모르겠다. 이 마을은 다르다는 이유로 타인을 배척하며 상처를 주지만, 그게 누군가에겐 상처가 될지도 모르고서 그 일을 계속한다. 무지는 죄가 아니지, 근데 안다고 이 마을이 과연 변할까?

하지만 이 마을을 구하지 않으면 하인뿐만이 아니라 내가 지키고 싶었던 가족의 목숨 또한 보장할 수 없다. 내가 몰래 탈옥시킨다고 하더라도 결국엔 신수 마을에는 돌아갈 수 없겠지. 그게 신수를 사랑하고 신수란 점에서 자부심을 가지던 아버지를 위한 길이 맞을지조차도 모르겠다.

'…. 이 마을은 악령이 아니었어도 결국 부패했을 거야. 아니, 부패함으로 인하여 악령이 탄생한 거겠지. 신수란 신의 힘을 나누어 가진 존재. 아버지는 늘 강한 힘에는 강한 책임이 잇따른다고 그럼 나는 아버지의 말대로 이 마을을 구원해 줘야 하는 걸까? 과연 쓰레기 같은 인간들을 구원해 준다고 을 입장인 약자들은 갑인 강한 이에게 저항 반항조차 못 하고 갑의 소유처럼 다뤄지는 이 사회가 변할 수 있을까? 이 사회가 변하지 않는 이상 결국 이 마을은 다시 악귀를 탄생시켜 버릴 거야.'

이런 생각 할 시간 따윈 없다. 이러다가 오늘 온 하인의 친구가 깨어난다면 은혜를 갚을 기회 따윈 없을 거라 생각해서 집중하고 작은 유리병 안에 정화의 힘을 가루로 만든다고 생각하고 능력을 천천히 사용했다.

안 사용하다가 힘을 사용해 어지럽고 힘이 너무 빠르게 빠져나가는 느낌이 들었지만 여기서 그만두면 위험하다 보니 의식을 잃지 않게 긴장을 풀지 않았다. 유리병이 무거워져 눈을 떠보자 다행히 성공했는지 빛나는 알갱이가 담겨있는 유리병이 있었다. 나는 긴장이 풀려 쓰려질 것 같았지만 이대로 쓰러지면 안 된다는 의지 하나로 버텨 하인의 밭에 가루를 뿌려줬다.

아무래도 완벽히 부상이 낫지 않은 몸으로 능력을 사용하는 건 무모한 짓이었던 건지 나는 그대로 의식의 끈을 놓치고 말았다.

아직 집에서 나온 지 몇 시진도 되지 않았건만 벌써 고양이가 보고 싶어졌다.

"곧 주인님이 오실 시간인데 이렇게 느릿느릿 일해서야 제때

일을 끝낼 수야 있겠어? 잊고 있는 것 같은데 음식을 공짜로 나눠주는 게 아니라, 일한 대가로 일한 만큼 나눠주는 거니 빨리빨리 일해!"

닦달하는 노파의 외침에 나를 포함한 노비들은 서둘러 요리했다. 뭐, 사실 다른 노비들보다 날 더 심하게 대하는 건 맞는 말이라 다른 노비들도 노파 몰래 수군거리기 시작했다.

"그런데 저렇게 막 대해도 되나요…? 아이가 좀 많이 힘들어 보이는데…."

"몰랐어요? 저 애 부모 반역으로 4개월 전에 죽었잖아요. 어차피 집에 가봤자 아무도 없고, 할 일도 없을 텐데…. 여기서 일 더 해서 돈이라도 더 벌면 좋죠."

"거기! 수다 떨 시간이 있나 보지? 그리고 막내! 반역자의 딸을 특별히 고용해 줬는데 놀기만 하고 분위기만 흐트려 놓을 거면 당장 그만둬, 일하기 싫은 거 티를 내면서 민폐 끼치지만 말고!"

"제가 더 잘하겠습니다, 죄송합니다!"

눈물이 나올 정도로 억울했지만 여기서 화내고 반박해 봤자 불리한 건 여기서 지낸 지 얼마 안 됐고 반역자의 딸이라는 꼬리표가 붙은 나이기에 고개 숙여 사과했다. 어째서인가 다른 사람들의 시선이 작은 벌레들이 기어다니는 것만 같아 너무나도 역겹게 느껴져 왔다.

여러 번의 소란이 있었지만, 다행히 노파의 지휘 안에 시간

안에 요리를 끝낼 수 있었다.

"대감마님 오십니다!"

그 말 한마디에 하인들은 모두 마당에 나와 깍듯이 고갤 숙였다. 대감마님은 오늘 일이 잘 안 풀렸는가 단단히 화나 보였다. 나는 대놓고 혀를 찰 수 없기 때문에 속으로 혀를 찼다. 주변을 몰래 살펴보자 어린 여자 노비들은 덜덜 떨면서 바닥만 바라보고 있었다. 늘 대감마님은 밖에 나가 일이 마음대로 흘러가지 않았으면 집에 돌아온 후 어린 여자 노비들을 겁탈해 왔다. 물론 대감마님의 소유인 우리에게는 거부권 따윈 없었다. 거부하고 반항했다가는 바로 심한 벌을 받게 되겠지. 마님이 있는 분께서 이러시니 매번 화풀이는 힘이 없는 우리 몫이다.

매번 불려 나간 애는 벌을 받고 그다음 날 쫓겨났다고 한다. 여기에 있는 어린아이들 전부 다 각자의 사정이 있으니 쫓겨나고 싶지 않겠지. 대감마님은 내 앞에서 그대로 멈췄다. 왜 하필 나인 걸까? 나는 그대로 속으로 망했다고 소리를 질렀다. 그대로 나는 대감마님의 방에 끌려가듯이 갔다.

"풀 거라."

그 한마디에 나는 소스라치게 놀라며 말했다. 약간의 거짓을 보태고, 대감마님에게서 어떻게든 벗어나기 위해.

"그럴 수는 없습니다…! 저는 홀몸이 아닙니다."

뭐, 고양이에게 주는 사랑도 사랑인 건 맞으니까 딱히 거짓말은 아니려나? 하지만 안타깝게도 거짓말은 곧바로 들통나고 말았다.

"가락지도 없는 주제에 머리를 굴리는 게 영악한 계집답구나? 아니면, 내가 풀어주길 바라는 것이더냐?"

"…. 아닙니다."

대감마님은 나의 팔을 세게 잡으며 재촉했다. 더 이상 반항해봤자 화만 입을 게 뻔했다. 주저 끝에 옷고름을 당겼다.

누군가는 마님 있는 분 앞에서의 선택을 욕할지도 모르겠지만 대감마님의 소유인 이상 반항하면 큰 벌이 따라올 것이고 도망치면 잡혀서 처형당할 것이니 도망치는 것도 반항하는 것도 결국엔 화를 불러일으킨다. 내겐 선택지가 더 이상 남지 않았다.

"처음부터 순순히 그리하였으면 얼마나 좋았겠느냐."

대감마님이 내게로 다가오셨다. 그리고 그때, 문이 벌컥 열렸다.

"지금 뭘 하시는 겝니까?"

아, 마님의 카랑카랑한 목소리. 난 이게 무엇을 의미하는 눈빛인지도 모른 채 마님을 올려다보고 있었다.

"또 남의 집 여식을 탐하시다뇨, 정부인인 제가 있는데도요."

"아니, 그, 그런 게 아니고…."

"아녀자는 지아비의 말에 거역하는 것도 끊는 것도 아니라 하였지만, 이제는 아무래도 못 참겠습니다. 여봐라, 게 누구 없느냐! 당장 이 여식을 끌고 가 매질하고 광에 가두거라. 그리고 부군께서는 저 아이가 천애 고아가 아니었으면 어쩔 뻔하셨습니까!"

당연하게도, 한때 나를 겁탈하려 한 대감마님은 내가 끌려 나가도 눈 하나 깜짝하지 않으셨다. 그리고 그 누구도 내가 발버둥을 치고 소릴 질러도 도와주지 않았다. 그도 그럴 게, 난 그 말대로 반역자의 딸이자 지켜줄 부모 없는 고아니까.

"허허, 미안하오. 내 다시는 안 그러리다."

어느샌가 웃음기를 띤 대감마님의 그 말을 끝으로 나는, 정말로 인형처럼 뒤뜰로 가 호되게 매질 당한 뒤 작은 광에 가둬졌다. 맞은 상처가 쓰라렸고, 해가 기울어가며 헐벗은 옷 사이로 찬바람이 들어왔다. 상처가 조금만 움직여도 아파져 와서 나는 웅크려서 입을 막고 울었다.

'도대체 내가 뭘 잘못했다고 여기에 갇혀야 하는 거야? 왜 아무도 안 도와줘? 내가 처음부터 순종적으로 행동하지 않아서 그런 거야?'

'다들 나랑 같이 일한 지 오래 되지는 않았지만 그래도 잠시나마 같이 일한 사이잖아, 그대로 끌려가면 내가 크게 다칠 거라는 걸 알았을 텐데 어째서 안 구해주는 거야?'

'싫어… 아파 무서워…순종적이지 않아 벌을 받는 거라면, 순 종적인 아이가 될 테니 누구든지 이 아픈 곳에서 제발 나를 꺼 내줘.'

…. 정 줬다가 나중에 이별할 때 너무나 아플 것 같아서 이름 도 지어주지 않았는데 왜 아프고 서럽고 무서운 상황이 되니까 어째서 고양이인 너라도 너무나 보고 싶고 곁에 있어 줬으면 하는 걸까?

그런 의문이 들던 그 순간, 누군가의 발소리가 들려와 긴장함 과 동시에 문이 열렸다. 다행히 마님이 아닌 고양이를 맡겨둔 친구, 가희였다.

"노비들에게 뇌물을 줘서 잠시 자리를 비우게 했어."

답지 않게 가희는 말에 뜸을 들이곤 이어 말했다.

"도망치자, 내가 반드시 너를 지켜줄게. 아까 이곳 노비들이 떠드는 걸 들었어. 못 믿겠지만, 이대로 있다가는 기우제 제물 로 바쳐지고 말 거야."

그 말을 듣자, 마음이 묘하게 뒤틀렸다. 내가 죽기 싫다는걸, 무섭다는 걸 누군가에게 티를 내고 보이는 것이 더 무섭다는 듯이 다가오는 이에게 날을 세웠다.

"알아 근데 그래서? 우리가 진심으로 도망칠 수 있을 거라고 생각해? 결국 하인들에게 쫓겨 다니다가 잡혀서 처벌받겠지, 우 리는 지금 지쳤어. 누가 본다면 내가 미친 거라고 하겠지, 근데 그게 현실이잖아? 그리고 그게 가능해서 도망간다 해도 평생 마님의 하인들에게서 도망치기만 해야 할 거고, 자연은 도태된 꼬맹이들을 봐주지 않다는 거 너도 알지 않니? 매번 자유랑 순결, 행복, 그리고 사회는 너같이 높은 사람들 것이야. 이번에도 역시 내 부모님이 틀렸어. 우리 같은 낮은 사람들이 움직여 봤자 사회는 안 움직여. 오히려 낮은 사람들을 잡아먹는 지름길이지."

우리는 혹여 누군가 들을까 목소리를 낮추면서도 할 말을 다 했다. 한쪽은 친구에 대한 걱정을 담고, 한쪽은 삶의 무게에 짓눌린 두려움을 감춘 채.

"너답지 않게 왜 그래? 내가 알던 네가 아닌 것 같아."

"네가 아는 내가 뭔데? 늘 멍청하게 환상만 쫓아다니는 아이야? 아니면 늘 멍청하게 내가 입는 상처들을 무시하며 너에게 빌붙는 아이야? 그거 알아? 매번 네 존재 자체가 날 비참하게 만들고, 네 호의 자체가 나를 갈기갈기 찢어놔. 네 집에 잠시 방문하게 되는 날에는 내가 그곳에서 노비에게 무슨 말을 듣는 줄 알기나 해? 너희 아버지를 죽게 한 주제에 비위도 좋게 네게 아첨한다는 말을 매번 들었어."

"근데 제일 역겨운 게 뭔지 알아? 그 말에 내가 죽인 것도 아닌데, 몇 번이나 네가 내 탓이 아니라 해줬는데, 나 자신을 미워하고 상처받는 나고, 매번 울면서 끝까지 상처받으면서 너의 따뜻한 온기를 놓지 못하는 나야. 이것마저 놓으면 진짜 숨이 막혀 죽을 것 같으니까."

매번 친구라는 이유만이라도 내가 부당한 일을 당했을 때 최대한 도움을 주던 너에게만큼은 숨기고 싶었던 추악한 질투와 속마음이 터져 나왔다. 당황한 네 얼굴이 보인다. 이제는 너도 내게 실망했을까 허탈해 오던 그때, 네 입에서 나온 말은 내 예상과 전혀 다른 무언가였다.

"있지, 내가 아는 가령인 늘 억지로 빛나는 친구야. 아파도 늘 아프지 않은 척 상처받지 않은 척하면서 위태로워지는 아이기도 하고. 그러면서 신분제도를 비판하며 양반 아이를 양반 아이로 보지 않고 아이 그 자체를 봐주는 아이기도 하지. 빈부 격차를 비판하고 생명을 소중히 여겨서 네가 먹기에도 부족한 음식을 다른 생명에게 양보해 주는 친절한 친구기도 해. 혼자 두면 금방이라도 무너질듯해 팔려나가기 전까지라도 지켜주고 싶은 친구고, 저번에 내가 네 물음에 답해주지 못해서 미안해. 나도 그 질문에 대한 정답을 배운 적이 없어서, 확실한 답을 내놓을 수가 없었어. 그래서 대답을 미뤘던 건데, 네가 많이 괴로워하는 걸 보니 더는 미루면 안 될 것 같네."

"이제껏 대답을 미뤄서 미안해. 그리고 답하자면, 분명 아직 어린 우리여도 사회를 변화시킬 수 있어. 한 명으론 변하지 않겠지. 하지만 한 명 한 명이 모여 다수가 된다면 반드시 사회를 변하게 할 수 있을 거야."

"분명 네 말대로 세상을 바꾸려는 이들을 잡아먹는 지름길이 될지도 모르지. 하지만 어둠은 빛을 가릴 수 없어. 결국엔 빛이 이길 거야. 너 혼자라 두렵다면 내가 곁에서 손을 내밀어 줄게."

"…그럴 리가."

옛날이라면 분명 가희의 말에 기뻤겠지만 어째서일까 봐 지금은 도저히 기쁘지 않았다. 오히려 날 놀리는 것만 같았다. 내가 갇힌 지금에서야 말을 건네는 네가 너무나도 미웠다. 네 친절함이 너무나도 불편해지기 시작했다.

"가령아…. 제발 같이 나가자."

모나게 삐뚤어진 마음은 삐뚤어진 말에 가시를 담아 쏘아졌고, 상대의 몸에 박혔다.

"제발 날 사랑한다면, 나를 위한다면, 더 이상 살고 싶게 하지 마. 난 지금 너무 괴로워서, 차라리 이대로 죽고 싶으니까."

가희의 간절한 목소리에 나는 결국에 하지 않으려고 했던 잔인한 말을 입에 담고야 말았다.

어째서 우리가 이렇게 되고 만 걸까? 처음에는 이러지 않았는데, 언제부터 우리가 갈라지게 된 걸까? 이름도 취향도 성격도 닮은 우리였기에, 서로의 가장 깊은 부분을 존중해 주고 신경 쓰지 않았던 우리이기에 어쩌면 이렇게 되어버린 게 아닐까.

메리골든 반드시 오고야 말 행복

모나게 말했다가도 금세 미안해져 사과해 보려 했지만, 이미 모난 말을 뱉은 입은 꿈쩍조차도 하지 않았다. 그리고 늘 그랬듯, 이 침묵을 깬 것은 너였다.

"…, 미안해. 네가 힘들 걸 알면서도 나 지금 네가 살 길 바라고 있어. 넌 내 가장 소중한 사람이니까, 내 단짝이니까. 네가 아프지 않길 바라, 살길 바라. 내가 사는 미래에, 그리고 네가 걸어갈 앞길에 각각 너와 내가 있기를 바라. 이기적인 나라서 미안해. 그렇지만 살아가 주면 안 될까?"

'…바보, 그렇게까지 말하면 내가 널 어떻게 이기니? 생각해 보면 난 한 번도 네게 이긴 적이 없다? 그러니까 지금도 지는 게 당연하지.'

모진 말을 뱉은 게 무색하게 내 마음은 너무 쉽게 네 손길을 받아들였고, 나는 그저 네 말에 고개를 끄덕일 뿐이었다.

"아, 잠시만… 기다려줘, 어디 좀 다녀올게. 다시 올 테니까, 그때까지 죽지도 말고 포기하지도 마. 나도 너 포기하는 거 아니니까!"

가희는 그 말만 하고 어디론가 급하게 사라졌다.

나는 그대로 벽에 기대어 눈을 감았다.

어쩌면 우리 둘 다 지쳤던 것부터가 문제가 되었던 것 같아. 우리 둘 다 서로의 상처를 치료하는 것마저 버거워서 예전과 달리 서로의 이야기를 잘 못 들어줬잖아.

메리골든 반드시 오고야 말 행복

너도 내가 힘들어하는 모습만 떠오른다고 했듯이, 나도 네가 힘들어하는 모습만 떠올라. 만약 우리가 서로의 아픔에 관심을 가졌더라면 결과는 달라지지 않았을까? 내가 기우제 제물로 바쳐져 비가 많이 내리게 된다면 네가 팔려나가는 일 또한 없을까?

내가 죽어서 네가 팔려나가지도 더 이상 울지도 않았으면 좋겠어. 끝까지 너에게 상처만 주는 인연이 되어버려서 그리고 네 손을 잡지 못해서 미안해. 그리고 끝까지 손을 내밀어 줘서 고마워, 날 좋아해 줘서 고마워. 벗으로서 많이 사랑해.

'그들 손에 죽기 싫어, 죽음만큼은 내가 스스로 선택하고 싶어. 누군가에게 절망을 주고 싶지 않지만…. 어차피 죽을 목숨이라면 차라리 더 나은 죽음을 택할래.'

다행히 근처에 날카로운 물건이 있었다.

피를 많이 흘리지는 않았지만, 심하게 어지러워서 그대로 쓰러졌다.

하인의 친구가 알려준 대로, 광의 환기용 창문을 통해 안으로 들어가자, 피를 많이 흘린 하인이 보였다. 급히 다가가 심장에 귀를 붙여보자 다행히 아직은 미약하지만, 숨소리가 들려오고 있었다. 상처를 계속 치료하고 있긴 하지만 치료되는 속도가 너무나도 늦었다. 이러다가 진짜 하인…, 아니 유일하게 내게 친구가 되어준 인간을 잃어버릴지도 모른다는 생각에 눈물이 나왔다.

"왜 울어⋯. 나 괜찮아⋯, 울지 마"

내 눈물을 닦아주는 손이 평소보다 너무나 차갑고 창백해 눈물이 멈추지 않았다. 분명 치료 중이라도 내가 아직 부족해서 아플 텐데 너 자신이 아닌 나를 걱정하는 너를 보고 인정하기 싫었던 부정했던 사실을 결국 인정했다.

"마오⋯.(말하지 마, 치료 중이라고 바보야.)"

그때, 네 입이 열렸다. 옥구슬 같은 눈물을 흘리면서.

"사실⋯ 나 사실 죽고 싶지 않아. 그런데 어쩔 수 없잖아, 선택지가 그것뿐인데. 죽기 싫어, 누군가 살려줬으면 좋겠어. 그런데 이 마을의 누구도 날 도와주지 않아. 사실은 다들 우리 부모님이 옳은 걸 알면서 무서우니까⋯. 사실 그 사람들도 죽고 싶지 않은 걸 알아, 일말의 희망이라도 잡고 싶은 걸 알아. 근데 그게 사람의 생명보다 중요한 건 아니잖아⋯. 그게 맞는 거잖아⋯. 나도 무섭고, 살고 싶은데⋯, 내가 원해서 받아들인 게 아닌데 왜⋯."

방금 깨달았듯이 나는 인간인 너를 좋아한다. 호구같이 남들에게 당하면서 아무런 반항도 화도 못 내는 네가 너무나도 좋다. 너와 있는 시간이 너무나 두근거리고 즐거워서, 그걸 깨우쳐준 네가 행복하길 바란다.

'⋯ 네 곁에 내가 있어 줄 수 있으면 좋겠어. 힘들 때 내가

곁에 조용히 위로해 주는 사이로 남고 싶어.'

그리고 결심을 한 뒤, 인간화한 모습을 보였다.

"…?!"

"속여서 미안해. 나는 사실 고양이가 아니라 신수야. 그동안 고양이인 척해서 미안해. 그동안 속이고 너의 집에서 지내서 미안해. 하지만 악의를 가지고 다가간 것은 아니야! 오히려 도망치다가 우연히 이 마을에 왔던 건데… 네게 은혜를 입은 거지… 아, 너도 역시 인간으로 변하는 징그러운 괴물은 싫어할까?"

더 이상 사랑하는 존재를 기만하는 듯한 행동을 그만두고 싶어 망설이다가 결국 사실을 말했다. 어쩌면 내가 사랑하는 이에게 두려움과 혐오를 받을 수 있다는 생각에 겨우 멈췄던 눈물이 났다.

"믿어. 그러니까 울지 말아 줘. 해칠 생각 따위 없었잖아? 있었으면 진작에 해쳤겠지. 그러니 제발 울지 말아 주라, 네가 우는 모습 같은 건 보고 싶지 않아"

"믿어…주는 거야? 정말?"

물론 넌 순진하니까 당연히 이랬겠지만, 이제껏 봐온 인간들 덕에 혹시나 하며 치솟던 생각이 네 한마디에 눈 녹듯 사라졌다.

"… 나도 네가 믿어준 대가를 치러야겠지? 자, 잡아"

나는 머뭇거리는 아이에게 말했다.

메리골든 반드시 오고야 말 행복

"아까 살고 싶다 했잖아? 그리고 난 신수기도 하고. 그러니까 내가 미약한 힘으로나마 널 지켜줄게. 나랑 같이 살자. 혹시 마음에 걸리는 친구가 있다면… 음… 믿을만한 아이라면 같이 가자. 그리고 우리 가족들도 구하고, 다 같이 사는 거야!"

그런 건 늘 내겐 꿈속 이야기였다. 절대 이뤄질 수 없는 그런. 그렇지만 네가 하는 이야기라면 좋아. 그게 백일몽일지라도 괜찮아. 넌 나의 고양이니까. 그래서 나는, 그 뻗은 손을 잡다.

"좋아!"

End. 그렇게 한 걸음…. End?

"자, 그렇게 탈출한 둘은 여자아이의 친구까지 데리고서 집으로 와 가족들을 구출하고 오래오래 행복하게 살았습니다, 끝~"

"에엑? 이게 뭐예요!"

"오늘 이야기는 좀 재밌었는데!"

"아빠 이야기의 끝은 왜 늘 이상해?"

아빠라 불린 고양이 귀의 잘생긴 남자는 앞에서 불만을 토하는 세 아이의 불만을 가볍게 넘기며 말을 돌렸다.

"그야 진짜 그러니까. 아, 저기 엄마랑 이모 온다."

"어! 가희 이모다!"

"이모!"

"아빠 이야기 꼭 제대로 나중에 들을 거야!!"

메리골든 반드시 오고야 말 행복

그는 단단히 일러두고 나가는 세 아이의 말을 귓등으로 흘려 들으며 들어오는 가령을 맞았다.

"왔어?"

"또 아이들에게 이야기의 끝부분을 제대로 말 안 한 거야? 지금 가희에게 찰싹 달라붙어서 떨어질 생각을 안 해."

"진짜를 요약한 것뿐이야. 그리고 저 애들은 자기들이 그 이야기의 끝을 완벽히 유추할 수 있다는 걸 모를걸? 언젠가 알게 되겠지만."

"참, 짓궂긴"

"애들은 좋은 거 보고 뛰어놀기도 아까운 시간이니까."

그렇다. 과거의 우린 그렇게 광의 문을 열고 나가 신수들의 숲으로 도망쳤다.

물론 가는 길이 썩 평탄하진 않았다. 할 수도 없을 만큼 힘든 일을 겪어왔고…, 하인, 아니 이제 연인이 된 가령의 친구에게 자초지종을 설명하고 동행을 했으며, 예까지 오며 잃은 길을 다시 찾고, 소문과 민심을 이용해 삼촌을 끌어내려 가족들을 구하고…, 아 물론 왕위는 아버지께 드렸다. 걱정과는 다르게 날 반겨주셔서 가슴을 쓸어내렸었지.

나? 난 우리 고운 색시, 가령이와 세쌍둥이를 낳고 오순도순 잘살고 있다. 마을 사람들 다들 날 구해줬다니 가령이와 친구인 가희에게 연인 관계가 되어주어 고맙다고 했다나 어쨌다나 …. 내 색신데. 아무튼 앞으로도 이렇게, 지금껏 그랬던 것처럼.

메리골든 반드시 오고야 말 행복

"우리 가족은 앞으로도 지금처럼 행복하게 살 거잖아? 그러니 시간은 충분하지."

"그건 그렇지만~"

가희에게 매달리며 웃는 아이들을 보며 우리는 서로의 어깨에 기대었다. 과거를 기억하고, 미래를 그려나가면서.

True End. 그렇게 오래도록 행복하게 살았습니다.

메리골든 반드시 오고야 말 행복

다온 작가

<초록빛 우연>

초록빛 우연

우연이 죽었다. 우연히 일어난 일이었다. 아직 붉은 낙엽 속 푸른 나뭇잎이 드물게 남아있는 그 시절에 그 친구는 가버렸다. 누군가의 부정적인 생각은, 그렇게도 쉽게 사람을 죽여버린다.

사람들이 그 무엇보다 중요하게 생각하는 개념인지라 셀 수도 없이 보고, 들어왔던 말이다. 지나가다 전광판에서 보고, 하루에 두세 번씩 수업에서 듣고, 친구랑 영상을 보다가도 광고에서 보고, 다시 부모님과 대화할 때 들었다. 지나가던 사람을 붙잡고 물어본다면 누구나 바로 대답할 정도로 생활에 녹아 있는 삶. 하지만 그걸 직접 겪어보는 건 전혀 다른 일이었다.

전혀 겪을 일 없을 거라고 생각하던 일들은 언제나 계절보다도 빠르게 찾아와버린다. 꽃잎이 낙엽으로 바뀌는 것보다도 빠르게.

심상사성. 간절히 바라고 원하면 분명히 이루어진다는 말이 있다. 생각한 대로 이루어지는 세상. 누구나 한 번쯤은 바랄 매력적인 생각이었다. 나이, 시대, 성별 같은 건 하나도 상관없는 소망.

그렇게 많고 많은 사람의 소망이 모인 탓일까. 사람들은 몇 천 년 전부터 이어져 오던 말이 진짜라는 걸 눈으로 직접 보게 되었다. 어느 순간부터 의지를 담은 생각들이 무작위로 실제가 되었다. 정말 뜬금없던 사실을 모르던 사람들은 평소처럼 생각하다 사이좋게 하늘로 날아갔다. 아니면 갑자기 집에 가 있던가. 갑자기 도심에 UFO가 나타난다던가. 자기도 모르게 싫어하던 사람의 얼굴을 때린다던가. 그 이외에 셀 수 없이 많은 사람이 평소에 하던 모든 생각들이 폭죽처럼 한꺼번에 빵! 터져버렸다. 이름 모를 사진작가가 찍은 그 날의 엉망진창인 사진은 교과서에서 빠지는 일이 없었다. 마치 영화의 포스터마냥 모두가 부러 과장된 표정을 짓고 있는 거 같아 그 사진들을 볼 때마다 절로 웃음이 나올 정도로 우스웠다.

사진의 밑에는 <특이한 종말>이라는 이름이 쓰여 있었다. 그때의 일로 적응하지 못한 많은 사람이 죽었기 때문에 그런 이름이 붙었다고 한다. 어느 날 윗자리에 책임을 져야 하는 사람이 죽고, 특정 분야의 전문가들이 죽고, 그냥 잘 걷다가도 죽고 매일매일이 자의든 타의든 다음 날 누군가를 만나지 못할 수도 있는 날의 연속이었다. 그리고 그 흔적은 아직까지도 완전히 사라지지 않았다. 어릴 때부터 아무리 많은 정신 통제 교육을 받고, 정신 안정을 위한 환경 속에서 살아도 매년 사라지는 사람들이 있었다. 몇몇 전문가들은 이런 상황에 대고 아직 종말은 끝나지 않았고 앞으로 2차 종말이 도래할 수도 있다고 말했다.

나는 그런 말들이 정말로 마음에 들지 않았다. 매번 책상 앞에 앉아서 그런 사람들만 보고 대화하니까 그딴 식으로 생각하는 거 아니야? 좀 나와서 둘러보기라도 하지. 옛날이야 아무런 대비책도 없었으니 그럴 수 있었다지만 지금은 많은 사람이 개발한 기술들과 교육이 존재했다. 그런 식으로 말하는 건 그 사람들의 노력과 잘 살아가는 사람들의 일상 전부를 불안정한 걸로 보는 것에 지나지 않는다고 생각했다. 차라리 좋은 상상 사례들만 보여주는 게 더 나을 텐데. 그런 사회에 필요 없는 얘기들을 굳이 TV에서 중요하게 여겨주고 마이크를 쥐여주는 게 이해가 가지 않았다.

그리고 우울증에 걸린 친구의 병문안을 가는 것도 TV의 이야기만큼, 아니. 어쩌면 그보다 더 불만족스러운 이야기였다.

우연은 소위 말하는 소꿉친구였다. 그리고 그만큼 가족보다도 더 많은 대화를 나눈 상대이기도 했다. 내가 어릴 적부터 제대로 생각을 갈무리하지 못하거나 부정적인 모습을 보이는 사람들을 한심하게 여기는 말을 할 때면. 우연은 옆에서 고개를 끄덕이면서 동감이라고 말해주는 친구였다. 너랑 나는 그렇게 될 리가 없다는 호언장담은 덤이었다. 그래서 나는 우울증에 걸린 우연이라는 이 상황이 더더욱 이해가 가지 않았다. 마치 엄청 어렵다는 퍼즐을 다 맞춰서 즐겁게 전시해놨더니 어느 날 두세 조각을 서로 잘못 바꿔 맞춰놓은 걸 발견한 기분이었다. 아니면 몇 조각이 사라져버렸거나.

처음 격리 교실에 갔을 때 충격을 받았다. 손도 닿지 않을 곳

초록빛 우연

에 있는 최소한의 환기만 가능할 창문. 변화에 예민하게 반응해야 한다는 이유로 완전히 하얗게 칠해버린 벽과 바닥. 그리고 무엇보다 친구의 몸에 주렁주렁 매달려 있는 거대한 생각 측정기.

생각 측정기는 특이한 종말 이후 많은 사람이 만들어낸 정신 연구 발전의 결과물 중 하나로 연결한 사람의 대략적인 생각을 알려주는 기계였다. 사람들이 기관에 등록되자마자 언제나 팔찌의 형태로 차고 다녀야 하는 물건이기도 했다. 보통 팔찌의 형태는 색의 형태로 사람들의 대략적인 생각을 알려주었지만, 지금 친구가 연결하고 있는 생각 측정기는 간단한 문자의 형태로도 알려주는 물건이었다. 그 정밀성 때문인지 족히 열 몇 개는 넘을 거 같은 선들이 우연의 머리와 몸에 연결되어 있었다. 보자마자 지난번에 수행평가로 만들었던 마리오네트가 떠오르는 모습이었다.

그리고 그 끝에 자리한 생각 측정기에는 불안의 노란색과 화남의 붉은색이 섞인 선명한 주황색이 떠 있었다. 온통 하얗고 가끔 검은색이 섞인 방 안에 색은 그 빛뿐이었다. 자신의 팔찌에 떠 있는, 저 밖에 수없이 흔들리고 있는 초록색과는 전혀 다른 색이었다.

의료분야로 가지 않는 이상 직접 볼 거라고는 생각도 못 했던 색을 마주하자 몸이 굳어버렸다. 어떻게든 그 굳은 몸을 이끌고 우연에게 다가갔다. 그러자 우연은 금방 웃으면서 먼저 인사했다. 우연이 팔을 들자 연결된 선들이 자기들끼리 부딪히며 소리를 냈다. 옛날부터 계속 봐왔던 그 표정이었다. 하지만 힐끔 바라본 생각 측정기의 색은 바뀌지 않았다.

그때까지도 내심 혹시나 하고 있었던 기대가 완전히 박살 났다. 팔찌에서 초록이 아닌 다른 색이 보여서 얼떨결에 신고하기는 했지만 다 같이 장난을 치고 있는 건 아닌지 생각했었다. 우연은 장난기가 많으니까. 하지만 아니었다. 나는 그제야 지금 내 친구였던 사람이 내가 경멸하던 사람들과 똑같이 변해버렸다는 걸 확실히 인지할 수 있었다. 피할 수도 없게 눈앞으로 다가온 사실은 어떻게 깜빡거리지도 않았다.

나는 그 사실을 다가오자마자 어떻게든 밖으로 나가고 싶었다. 지금 생각해 보면 퍽 웃기는 일이었다. 나중에는 어떻게든 그곳으로 가려고 하는 것도 모르고. 그 당시의 나는 일단 선생님이 전해주라고 하신 작은 화분 하나를 침대 옆 탁자에다 올려놓았다. 어떻게 좀 괜찮게 지냈어? 병문안은 내가 왔는데 오히려 안부 인사를 들었다. 못 지낼 게 뭐가 있어. 나는 어색하게 대답했다. 우연은 신이 난 듯 뭔가를 더 말했지만 나는 전부 대강 넘겼다. 그리고 최대한 빨리 그곳에서 빠져나왔다. 그럼 내가 거기서 뭘 했어야 해?

격리 교실과는 다르게 거대한 창문 너머로 넘실거리는 노을빛이 복도에 붉은색 물감을 쏟았다. 그 짧은 시간에도 이미 다들 하교를 했는지 조용한 복도에는 내 발소리만 울려 퍼졌다.

초록빛 우연

규칙적이고 조금은 딱딱한 실내화의 발소리. 둘이 아닌 하나의 소리가 어색했다. 마지막에 무슨 말을 하고 나왔더라. 아무것도 생각나지 않았다. 측정기 색. 그거 하나만을 찾았다. 멍하니 복도에 쭈그려 앉아서 마지막까지 있었던 붉은빛과 노란빛, 그 사이에서 언뜻 보이는 주황빛을 찾았다. 얼마 지나지 않아 노을빛은 금방 사라졌다. 노을이래 봤자 이도 저도 못 하는 어중간한 색이었다.

그 뒤로 최대한 그쪽에 관심을 주지 않으려고 노력했다. 나는 아주 가끔씩 선생님의 부탁이 있을 때만 우연을 찾아갔고, 갈 때마다 대화를 한 것도 같지만 우연을 보기보다는 항상 측정기를 힐끔거렸다. 측정기는 언제나 초록이 아닌 어중간한 색을 띠고 있었다. 웃고 말하고 주사를 싫어하는 겉모습만 볼 때는 평소와 다를 게 없었는데. 측정기가 보여주는 건 전혀 다른 모습이었다.

친구를 격리 교실이 아니라 밖에서 만나고 싶었다. 이곳으로 오는 것만 아니라면 다 좋을 거 같았다. 직접적으로 말은 하지 않았지만 그 바람을 우연이 모를 리가 없었다.

그래서일까. 어느 순간부터 측정기에 초록빛이 조금씩 보이기 시작했다. 얼마 지나지 않아 사라졌지만 그 색이 잊힐 리가 없었다. 그날 우연보다 내가 더 잔뜩 신이 나서 처음으로 면회 가능 시간을 다 채웠다. 그 뒤로 초록색을 보여주는 빈도가 점점 더 늘어났다. 그리고 그만큼 대화하는 것에 거부감도 점점 줄어들었다. 오히려 점점 예전처럼 유쾌하기만 했다.

나는 그 유쾌한 감정에 취해서 하나의 착각을 하고 있었다. 역시 우연이라면, 내 친구라면 우울증 같은 것에 걸려도 다른 사람들과는 다를 거라는 착각이었다. 그래서 이렇게 금방 초록색도 보여주고 하는 거라고. 지금 생각해 보면 이거만큼 이상한 생각이 또 없었다.

그냥 여기로 올 친구를 위한 하나의 배려일 뿐이었다. 애초에 그걸 조절할 수 있었으면 병이라는 이름을 받지도 않았을 텐데.

우연과 대화할 때면 나는 부러 좀 거칠게 이야기하기도 했다. 내가 그렇게 얘기해도 우연은 별로 싫어하는 모습이 아니기도 했고, 평소처럼 대해주는 게 더 좋을 거 같았다. 그날도 그런 대화를 나누던 날 중 하나였다. 나는 우연에게 여기로 오는 게 다리가 아프다고 괜히 투덜거렸다.

"나 그래도 의사 선생님한테 칭찬 많이 받았다? 잘하면 곧 이거 뗄 수도 있어."

앞으로 얼마 안 남았을 수도 있다는 거지. 우연이 팔을 들고 흔들었다. 팔에 연결된 줄들이 이리저리 흔들리면서 둔탁한 소리가 났다. 그러더니 곧 줄들이 꼬이면 의사 선생님한테 혼난다며 다급하게 줄을 정리하기 시작했다. 나는 정리하는 걸 조금 도와주다가 말했다.

"치료가 끝나는 거보다 네가 다 나은 모습을 상상해보면 그게 이루어질 수도 있잖아."

차라리 그게 더 빠르겠다. 만약 그랬으면 여기까지 올 일도 없었을 거라는 생각이 들어서 괜스레 투덜거리며 말했다. 굳이 아예 다른 건물에 있는 곳에 올 필요도 없을 거고 다른 애들이 묘하게 피하는 일도 없을 거고

"아 그렇네. 그런 방법도 있었네."

우연은 생각지도 못한 듯 눈을 동그랗게 떴다. 그리고 곧 네가 그런 말을 할 줄 몰랐다며 키득거렸다. 기계음과 키득거리는 소리가 섞여서 조금 웃긴 박자가 만들어졌다. 여기서 처음으로 소리 내서 웃는 모습이었다. 이래도 웃기는 또 웃는구나. 나는 조금이라도 더 빨리 와야 그나마 반 애들이랑 대화라는 걸 할 수 있을 거라고 말했다.

그 뒤로 계속해서 대화하다 보니 학교 종소리와 비슷하면서도 조금 다른 소리가 들렸다. 우연의 의사 선생님의 목소리가 면회 시간이 끝났다고 말했다. 짐을 정리하고 있으니 우연이 먼저 잘 가라고 인사했다. 나도 마주 손을 들어 인사했다.

"나중에 교실에서 보자."

힐끔 본 측정기에는 뭔지 모를 색이 떠 있었다. 어두운색 같기도 하고 이따금 밝은색이 일렁이기도 하는 그런 색. 초록색은 아니었지만 초록이 섞여 있을지도 모르는 색이었다.

"당연하지. 금방 갈게."

그 인사가 마지막이었다. 우연은 병에 걸렸던 것처럼 가버리

는 것도 조용했다.

다음 날 찾아간 우연의 격리 교실에는 아무것도 남아있지 않았다. 그나마 조금 있었던 짐과 화분 하나는 사라져 있었고, 한쪽 벽과 천장 일부분이 무너져 있었다. 먼지가 자욱한 그 모습과는 다르게 침대와 가구는 이상하리만치 깔끔했다. 그리고 침대 위에는 이리저리 측정기의 선들이 엉켜 있었다. 의사 선생님이 조심스레 혹시 장례식에 갈 거냐고 물어볼 때까지 그냥 서 있었다.

도대체 왜?

내가 뭘 잘못 말했어?

최근에는 많이 좋아졌다고 했잖아.

여기가 싫다는 티가 너무 많이 났어?

수업 중에 우당탕거리거나 무너지는 소리 같은 거 하나도 없었는데.

확실히 더 이상 격리 교실로 오고 싶지 않다는 마음이 있었다. 하지만 그렇다고 우연을 멀다 못해 보이지도 않는 곳으로 가버리기를 바랐던 건 절대로 아니었다. 하지만 순간 머릿속에서 어떤 생각이 떠올랐다. 내가 정말 그렇게 생각하지 않았을 거라고 어떻게 확신할 수 있지? 나는 그 생각이 들자마자 의사에게 다가가서 물어봤다.

"우연이 마지막으로 한 생각이 뭐였는지…, 혹시 여쭤볼 수

초록빛 우연

있을까요?"

그게 아니면 어떻게 죽었는지만이라도. 의사는 곤란하다는 표정을 지으면서 대답해주지 않았다. 원래대로였다면 그냥 말씀 안 해주셔도 된다고 말했을 테지만, 지금은 급한 마음에 대답을 들어야겠다는 생각뿐이었다. 의사는 몇 번 더 고민하더니 이쪽으로 다가오라는 손짓을 했다. 다가가자 의사는 소리를 낮춰 이야기했다. 네 친구는 스스로 가려고 해서 간 게 아니라고.

네? 뭔가 멍청한 소리가 나왔다. 하지만 의사는 이만 되었다는 듯 우연의 가족들에게 다가갔다.

우연은 스스로 죽은 게 아니었다.

정말 말도 안 되는 이야기였다. 하지만 그 이야기를 듣는 순간 슬프다기보다는 나 때문에 죽은 게 아니라는 사실에 무언가 안심됐다. 그리고 그 느낌에 스스로가 역겨워졌다. 방금 이게 제대로 할 생각인가? 하지만 측정기는 여전히 초록색이었다. 그 색을 보자 금방이라도 무언가 쏟아져 나올 거 같았다. 나는 급하게 입을 막았다. 그리고 그 느낌은 장례식에서까지 계속 이어졌다. 거기서도 입을 막고 있었다. 걱정하는 사람들에게는 멀미를 한 거 같다고 둘러댔다.

장례식이라는 안내판 하나 없는 곳에서의 장례식은 간단했다. 옛날에는 3일 정도의 시간을 보냈다고 하지만 지금은 반나절도 채 걸리지 않았다.

장례식이 전부 끝난 뒤 밖에 나와 멍하니 앉아 있었다. 많이 쌀쌀해진 바람은 낙엽을 데리고 다른 곳으로 가자고 말을 걸면서 데려가고 있었다. 이 나이 때는 낙엽이 굴러가는 거만 봐도 웃음이 나온다 그랬나. 다른 친구들도 그랬고, 우연도 그랬다.

누군가의 부정적인 생각은 무엇보다 손쉽게 사람을 보내버린다.

어떤 과거의 내가 현시대에서 교육을 받은 사람이라면 그런 일들을 일으키지 않을 거라고 확신했던 날이 있었다.

우연의 뉴스는 채 1분이 될까 말까 한 시간 동안 방송되었다. 내용조차도 죽음이라는 단어는 직접적으로 말하지 않았다. 그냥 한 환자가 불의의 사고로 어쩔 수 없이 떠났다. 그 정도였다.

하루에 3편 이상 있을까 말까 한 범죄 뉴스 중 하나였지만 사람들은 저 장면을 살펴보지도 않았다. 평소에는 쓸모없다 못 해 길게 느껴졌던 그 시간이 순식간에 지나갔다.

우연을 죽인 그 사람은 어떤 결과가 나왔을까. 글쎄. 나는 우연의 가족도 뭣도 아니었으니 법정에 가거나 하지는 못했다. 하지만 분명 특별한 처벌이 없었을 것이다. 기껏해야 보호자와 당사자에게 몇 개월 동안 더 강한 치료를 받으라고 하는 정도? 아니면 오히려 더 널널하게 만들어주라고 했을 수도 있다. 고의적으로 건물을 무너뜨리거나 그런 식의 재난이 아니라면 그게 처벌의 전부였다. 어차피 죽은 건 우연이고 그 사람은 계속 살아있으니까.

초록빛 우연

학교의 다른 친구들은 우연이 죽었는지도 모를 것이었다. 아마 선생님이 우리 학교에는 없는 시설이 필요해서 다른 곳으로 갔을 거라고 말씀하셨겠지. 내가 학교에 가지 않은 것도 우연의 마중을 나간 거라고 얘기될 거다. 그게 원칙이었다. 죽음이라는 단어나 표현은 허용되지 않았다.

그 모습들을 떠올리니 어쩐지 머리가 지끈거렸다. 누군지도 모르는 그 사람이 머릿속에서 떠나지가 않았다. 내가 아는 건 그 사람이 어떤 생각을 하다가 그 생각에 휘말려 우연이 죽어버렸다는 것뿐인데. 그 사람은 지금 뭘 하고 있을까. 이렇게 됐다는 걸 알고는 있을까. 일단 뭘 하든 편안하지는 않았으면 좋겠는데.

'그냥 내 친구랑 똑같이 되면 안 되나.'

나는 그 생각을 하자마자 급하게 입을 턱 막았다. 그리고 급하게 눈동자를 굴려 주변을 살펴봤다. 입으로 말하지 않았지만 누군가 듣기라도 하지 않았을까 하는 생각이 들었다. 손바닥 사이로 쿵쿵거리는 심장 소리가 귓가에 울렸다. 하지만 곧 어떤 충동이 들었다. 나는 천천히 손을 떨어트리고, 허리를 펴고, 자세를 곧게 했다. 그리고 작게 중얼거렸다.

죽었으면 좋겠다. 이번에는 확실한 생각이었다. 딱히 주어는 붙이지 않았다. 그 주어가 뭔지 확실히 정한다면 내가 더 버티지 못할 거 같았다. 이제서야 우연의 말이 조금이나마 이해가 가기 시작했다. 팔찌에서 이미 한 번 들어본 잔잔하면서도 이상한 경고의 소리가 흘러나왔다. 팔찌를 내려다보자 초록색과 뭔지 모를 색이 섞여 이상하고 어두침침한 색이 만들어지고 있었다. 초록색이 없는 건 아니지만 이해의 색이었다. 평소대로만 행동하려 했다면 절대로 생각하지 못했을 이해. 스스로에 대한 혐오감으로 동반한 이해.

그 와중에도 내 손은 폰을 꺼내 병원에 팔찌에서 정신 불안정 경고를 받았다고 신고했다. 처음으로 하게 된 입원에는 그렇게 복잡한 절차가 필요하지 않았다.

입원 생활은 딱히 특별한 게 없었다. 입원이래 봤자 심각한 사고를 일으킨 게 아니라서 병원에 입원한 것도 아니고 어느 정도 도심이랑 떨어진 요양원이었다. 심지어 나는 자진신고를 했다는 이유로 더 널널한 취급을 받았다. 하지만 사람들이 그렇게 대한다고 해도 스스로가 버티기 힘들었다.

수업도 듣고 다른 사람들이랑 얘기하는 건 힘들지 않았다. 웃는 것도 힘들지 않았다. 의료진이 받으라고 하는 치료를 따르는 건 당연한 일이었다. 이대로면 제일 빨리 여기를 퇴원하는 환자가 될 수 있을 거 같다고 간호사분들이 웃으며 이야기하셨다. 하지만, 언제나 다른 색이 머리 한구석에 자리를 잡고 있었다. 가끔씩 떠오르는 그 생각들은 내가 조절할 수 있는 게 아니었다. 오늘은 또 어느 날 우연과 나눴던 대화가 떠올랐다.

'그래서 지금 여기 있는 소감이 어떠신가요?'

초록빛 우연

'어쩌고 말고 할 게 뭐가 있어.'

아, 그런데.

'이렇게 비효율적인 사고방식으로 사는 건 처음이라 좀 신기하긴 해.'

옛날 사람들은 도대체 어떻게 이 상태로 할 거 다 하고 살았는지 정말 모르겠다.

그때는 꽤 웃긴 말이라고 생각했었는데, 지금은 그 말이 제대로 실감됐다. 다른 생각을 하고 싶어도 잠깐 긴장을 풀면 다시 그쪽으로 생각이 틀어졌다. 지금까지 그런 생각을 한 횟수를 얼추 세어보면 아직 그 사람이 죽지 않은 게 용했다. 그게 내 입장에서도 그 사람 입장에서도 좋은 일이었다. 나는 자칫하면 살인자가 될 수도 있었고 그 사람은 똑같이 가버릴 수도 있었다. 그래도 가끔은 그런 일이 일어나는 게 좋지 않을까 생각하곤 했다. 그런 생각을 하고 나면 헛웃음이 나오긴 했지만.

이미 오늘의 하루 외출 할당량을 채웠지만 간호사가 날이 너무 좋으니 좀 더 산책이라도 하고 오는 게 좋을 거라고 말씀하셔서 옥상 정원에 갔다. 확실히 바람이 선선했다. 멍하니 하늘을 바라보고 있자 오늘 꾼 꿈이 생각났다. 별 건 없고, 그냥 주변에 마지막에 본 우연의 색이 가득 찬 꿈이었다. 처음 이 꿈을 꿨을 때는 무서웠다. 아무래도 좋은 색은 아니었으니까 어디서 뭔가가 더 튀어나오지는 않을까 하는 마음이었다. 하지만 그 꿈은 계속 그 색만 보여줄 뿐 특별한 뭔가를 더 하지는 않았다. 하다못해 우연 본인이 등장하지도 않았다. 그냥 그런 꿈이었다.

계속 꿈 생각을 하고 있는 건 좋지 않아서 다른 사람들한테 전화라도 해볼까 싶었다. 원래 그렇듯 누군가 죽는다는 개념을 담고 살지 않는 사람들한테. 그때 옆에서 우당탕거리는 소리가 들렸다. 소리가 난 쪽으로 바라보니 한 사람이 바닥에 넘어지다 못해 구르고 있었다. 도와줘야 하나 말아야 하나 고민하고 있자 금방 일어났다.

그 사람의 팔에는 우연이 차고 있던 것과 같은 선들이 주렁주렁 매달려 있었다. 계속 그걸 바라보고 있자 그 사람은 머쓱한 듯 웃으며 단 지 얼마 안 돼서 좀 어색하다고 말했다. 그런 모습에 어쩐지 우연이 생각났다. 우연을 만나러 갈 때면 측정기 줄이 꼬이지 않는 경우가 없었다. 꼬이면 제대로 측정이 되지 않으니까 매번 혼난다고 투덜거리던 목소리가 들리는 것도 같았다.

나는 혼자 있으려던 마음을 접고 그 사람 쪽으로 몸을 틀었다. 계속 같은 생각을 하기보단 뭐라도 다른 생각을 하는 게 좋으니까. 몸도 생각도 환기를 할 마음이었다. 왜, 책에서도 흔하게 나오지 않나? 모르는 사람이랑 충동적으로 얘기했다가 마음이 좀 나아지는 그런 상황. 그건 그 사람도 마찬가지인 듯 내가 몸을 트니까 너무 반가워했다. 지금 같은 상황에서 할 만한 얘기는 꽤 다양했지만. 어느 정도 지나고 나자 자연스레 여기로

초록빛 우연

오게 된 상황에 대해 얘기가 나왔다. 자신이 왜 불안정한지 말로 꺼내면 더 정리가 된다며 권장하기도 하고, 어차피 전부 멀쩡한 일상이었으면 여기로 올 필요도 없었다.

"어쩌다 여기로 왔어요?"

그 사람은 조금 움찔하더니 대답 대신 질문을 했다.

"그러는 너는?"

"저는 제가 직접 신고해서 왔어요."

"직접 신고를 했다고?"

…너 꽤 대단한 애였구나? 당연한 일이라면 당연한 일이었지 별로 대단하다고 생각하지는 않았다. 그 사람은 자기는 그렇게 못 했을 거라며 머쓱하게 웃었다. 애초에 그럴 수 있는 사람이었으면 이런 방법으로 여기 오지는 않았겠지…. 그럼 어떻게 오셨는데요? 그 사람은 몇 번 더 머뭇거리더니 조심스레 말했다.

"나 때문에 다른 사람이 좀 크게 다쳐서 왔어."

이렇게 웃으면서 할 얘기는 아니지? 머뭇거릴 때부터 예상하긴 했지만 진짜였다. 그렇게 놀랍지는 않았다. 보통 그 정도가 아니면 저런 측정기는 필요 없었으니까. 나는 그냥 고개만 끄덕이고 있었다. 그때 측정기가 몇 번 깜빡거리더니 그 사람은 다시 조심스레 물었다. 너는 직접 신고했다고 했잖아.

"언제 이걸 신고해야겠다고 생각했어?"

나는 깊게 숨을 들이마시고, 내쉬었다.

"친구가 말도 없이 그냥 가버렸거든요? 그거 때문에 어느 날 멍하니 앉아 있는데 갑자기 부정적인 생각이 확 드는 거예요. 뭔가 짜증 나는 일이 있어서 스쳐 지나가는 그런 게 아니라 아예 작정하고…. 안 된다는 걸 알고 있는데도 일부러."

그랬더니 팔찌에서 경고음이 들리길래 신고했어요. 뭐, 팔찌가 안 울렸어도 그런 생각이 들었으니까 신고했겠지만요. 그 순간 깔깔거리는 소리가 들렸다. 깜짝 놀라서 바라보자 측정기까지 끌어안으면서 열정적으로 웃고 있었다.

그 사람은 한참을 웃었다. 그거랑은 다르게 측정기의 색은 점점 어두워지고 있었다. 그러다 그 색이 진녹색이다 못해 검은색에 가까워져 갈 즈음. 그 사람은 간신히 웃음을 멈추고 눈에 고인 눈물을 닦았다. 그리고 몇 번 심호흡을 했다. 그 심호흡에도 여전히 웃음과 눈물기가 어려 있었다. 그리고 물 위에 푼 물감처럼 일렁이는 측정기와 함께 다시 이야기도 흐르기 시작했다.

"아까는 좀 크게 다쳤다고만 얘기했지만… 사실 나 때문에 한 사람이 멀리 가버렸어."

평소처럼 회사에서 일하고 있다가 차라리 자리가 무너져서 어디든 여기가 아닌 곳으로 갔으면 좋겠다고 생각했을 뿐인데. 좀 떨어진 곳에서 그게 실제로 일어났다고 그러더라고.

"사실 나도 신고를 하려면 진작에 할 수도 있었어. 있었을 거야."

좋든 싫든 멍하니 앉아 있으니까 내가 무슨 생각을 하고 있는지 알고 싶지 않아도 알게 되는 거야. 누가 봐도 이상한 생각이었는데. 측정기가 고장 났는지 몇 번 더 경고받을만한 생각을 했는데도 안 울려서 그냥 있었어. 진짜 문제가 있다면 어디서든 연락이 오지 않았을까? 하는 웃긴 생각이었던 거 같아. 그렇게 있다 보니 어느 순간 그냥 그렇게 살게 되고 그러다가 일이 벌어지고 나서야 체포되고 여기로 오게 됐어. 웃기게 나는 이게 문제가 될 수 있다는 걸 그제서야 다시 알았어. 사실 나한테만 그랬으면 상관없을지도 몰랐는데… 그게 남한테까지 갈 줄 몰랐던 거지.

"사실 아직까지 실감도 잘 안 나고… 왜 그 사람이 그렇게 됐는지 잘 모르겠어."

몇 번 얘기 해봤지만 의사도 아직은 잘 모르겠다네. 그 사람이 누군지도 모르니까 그걸 참고할 수도 없고. 이제 다시 내가 얘기해야 할 차례가 왔지만 나는 '자리가 무너졌다.' 부분부터 그대로 굳어버렸다. 나는 조금 더듬거리면서 말했다.

"혹, 시 언제 여기로 오셨는지 알 수 있을까요?"

"아. 9월 초쯤이었어."

9월 초 단풍이 들기 시작했을 즈음. 친구가 가버린 날이 맞았다.

그제서야 그 사람이 우연을 죽인 사람이라는 걸 알 수 있었다. 겨우 가라앉혔던 다른 색이 다시금 떠올랐다. 그 사람이 살아있다는 건 알고 있었다. 알고는 있었지만 우연의 일처럼 그 사실을 눈앞에서 마주하는 건 다른 일이었다.

초록빛 우연

방금 전까지는 당연했던 모든 일이 눈에 걸리기 시작했다. 그 사람은 날이 쌀쌀하다며 겉옷을 걸치고 있었다. 진료 기록도 계속 남고 있었다. 여기 밥이 꽤 맛이 없다며 투덜거리기도 했고, 다른 사람들과 같이 대화하기도 했다. 어쨌든 숨을 쉬고 움직이면서 살고 있었다.

나는 입술을 달싹거리다 깨물었다. 당장이라도 질문들이 튀어나올 거 같았다. 당신이 죽인 사람이 제 소꿉친구였어요. 왜 내 친구를 죽였나요. 도대체 어떤 생각을 했기에 본인이 아니라 다른 사람이 죽었나요. 어떻게 계속 웃고 있을 수 있나요. 왜 웃고 있나요. 그 사람이 누군지는 알고 있나요. 어떻게든 삼킨 말들이 어떻게든 식도를 기어서라도 올라왔다. 그나마 내가 이렇게 말할 자격이 있는지 걱정하는 생각들이 간신히 눌러주고 있었다. 팔찌에서 조금씩 경고성 진동이 일어났다.

그때 간호사가 와서 그 사람에게 이만 가야 한다고 말했다. 얼마 전부터 추가 치료가 예정되어 있다더니 그거 때문인 거 같았다. 그 사람은 아쉬운 표정을 지으며 손을 흔들었다. 그 표정 위에 방금 전 친구 이야기를 하면서 지었던 표정이 겹쳐졌다. 그래도 오늘 이렇게 말할 수 있었어서 좋았어.

"너만 괜찮으면… 나중에 또 만나자."

그 표정을 보는 순간 하고 싶었던 말들이 전부 흩어졌다. 정확히는 하고 싶지 않았다. 내가 저기다 대고 뭐라고 한다고 해서 뭐가 있을까? 여기는 요양원이었으니까. 대놓고 말한다면 신고를 당할 수도 있었다. 나는 그냥 입을 다물고 같이 손을 흔들었다. 잘 가세요. 다치지 말고.

그 사람을 무사히 보내고 나서 다시 혼자 앉아 있으니 억울한 마음이 스멀스멀 밀려왔다. 앞에 범인이 왔지만, 내가 할 수 있는 건 아무것도 없었다. 열심히 대화도 나누고, 심지어 죽인다, 같은 부정적인 생각도 그만뒀다. 하늘에서 우연이 한 대 때린다고 해도 할 말이 없었다.

하지만 한편으로는 후련함인지 허무함인지 모를 약간 허전하면서도 알싸한 바람이 들어오는 거 같은 느낌이 들었다. 나는 그대로 앉아 있던 벤치에 드러누웠다. 저기 멀리 건물의 전광판에서는 어김없이 뉴스가 나오고 있었다. 평소처럼 죽음 같은 건 없는 평화로운 날이었다.

초록빛 우연

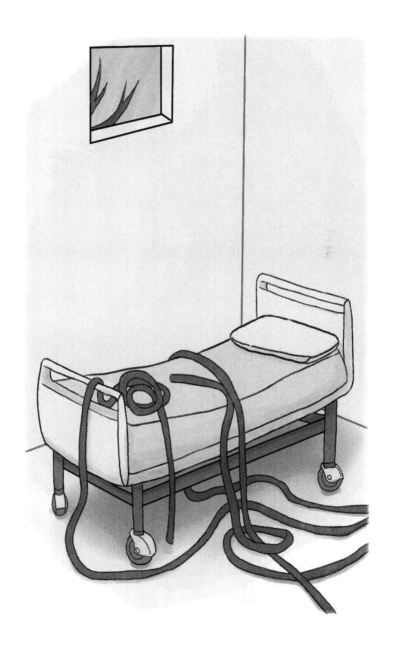

초록빛 우연

제로 작가

<구마뎐>

구마뎐

민형이 사는 동네에는 큰 고목이 하나 있다. 높이가 얼마나 높은지 동네의 가장 큰 집과도 비교가 안 되었다. 어릴 적의 민형은 매일 고목 아래에서 놀았다. 고목에 달린 수많은 오방천이 자신을 지켜줄 것만 같았다.

또래와 어울리는 것도 마다하고 고목 아래에 있는 시간이 늘어나자, 못내 신경 쓰였던 아버지는 혹여라도 제 아들이 이 나무에 관심이라도 가질까 근심하여 밤을 설쳤다. 나무와 엮여서 좋을 일이 없다는 것을 알았다.

"아버지, 이 나무에 정말 신이 깃들어 있어요?"

"이 마을의 액을 막고 안녕을 기원해준다는 말이 있었지. 이제 낡은 나무일 뿐이야."

아버지는 한낱 늙은 나무에 그칠 뿐이라고 말했다. 아버지가 자리를 비키고 홀로 남은 민형은 바람에 나풀거리는 오방천을 약하게 잡았다. '더는 쓰이지 않는다'. 민형은 아버지가 했던 말을 나지막이 따라 해본다.

"너도 그렇게 생각해?"

편월동

민형이 초등학교에 들어간 8살 무렵, 괴황지-회화나무 열매로 노랗게 물을 들인 종이-를 받았다. 흔하지 않아 조심히 대하라는 말에 손 위에 가지런히 올려놓은 종이를 물끄러미 바라보고 있으니, 어머니가 그것이 부적에 쓰인다고 알려주었다. 붓으로 그려 그렇게 만들어진 민형의 첫 부적은 불에 태운 재가 되어 입속으로 들어갔다. 맛이 어땠는지는 기억나지 않는다. 지금의 민형에게는 딱히 좋은 기억이 아니다.

이(李)씨 가문은 유서 깊은 구마(驅魔) 집안이다. 전통을 중요시해 지금까지도 고집하고 있는 한옥은 동네에서 가장 크고 오래된 집이었다. 어느덧 편리함을 추구하는 모습으로 바뀐 주변 풍경과 비교할 때면 간혹 이질감이 들었다.

"민형, 우리 학원 때문에 먼저 간다."

"아, 어."

민형이 교문에 홀로 남겨진 채 손을 흔들었다. 저들끼리 떠들며 사라지는 뒷모습에는 미련 하나 없다. 왜일까. 핸드폰 케이스 뒤에 끼워 다니는 부적이 눈에 띄었다. 이유는 알 수 없었다. 그 부적을 마냥 바라보고 있자니 문득 의구심이 드는 것이다.

나는 왜 구마사가 되려고 하지?

민형은 한참을 교문 앞에 우두커니 서 있었다. 목적지가 있는 학생이며 사람들이 민형을 지나쳐 정신없이 움직였다. 단순한 질문조차 답하지 못한 민형만이 차마 움직일 수 없었다. 움직일 용기가 나지 않았다.

힘겹게 발걸음을 떼어 도착한 곳은 학교에서 조금 걸으면 나오는 작은 골목길이었다. 이대로 가면 집까지 10분 정도 걸리는 거리가 20분으로 늘어난다. 집에 들어가고 싶지 않은 마음에 빙빙 둘러 가는 것이다. 주위에 아무도 없다는 사실을 느끼고서야 걸음이 느려졌다. 속도를 늦추고 나서야 숨이 벅찰 정도로 뛰었다는 것을 깨달았다.

숨을 고르는데 멀리서 스쿠터 소리가 들렸다. 이상함을 느낀 것은 그 소리가 이상할 정도로 커지고 난 후였다. 민형이 빠르게 고개를 돌렸다. 스쿠터가 걷잡을 수 없이 빠른 속도로 제 앞으로 달려오고 있었다.

"야, 비켜!"

본인이 이쪽으로 오고 있으면서 방향을 틀 생각은 추호도 없나 보다. 수없이 다양한 죽음을 봐왔음에도 직접 겪는 건 생각보다 더 무서운 일이었다. 내 질문의 대답을 찾기도 전에 죽겠네. 그렇게 생각하며 눈을 꾹 감았으나 스쿠터로 인한 바람만일 뿐 아무 일도 일어나지 않았다. 민형이 슬며시 눈을 떴다. 바로 앞에 세워진 스쿠터 주인은 어느새 민형의 뒤편에서 악귀를 상대하고 있었다.

"와, 너 진짜 죽을 뻔했어."

어처구니가 없어 헛웃음이 나왔다. 본인 스쿠터 때문에 죽을 뻔했다는 건지 저 악귀 때문에 죽을 뻔했다는 건지. 그마저도

구마편

지극히 사적인 이유로 계속 주위를 어슬렁대던 것조차 알아채지 못했다는 생각에 한숨으로 변했지만.

그나저나 뭔가 이상했다. 부적도 없고, 영기(靈氣)가 느껴지긴 하는데 그다지 센 편이 아니다. 귀신이 보일 정도는 아니라는 뜻이다. 약한 영기로 귀신의 기척을 느낄 수는 있지만, 남자는 귀신이 있는 위치를 정확하게 파악하고 있었다. 기척만 느껴서는 전혀 나올 수 없는 행위였다.

"잠깐…."

민형의 말은 그대로 삼켜졌다. 남자가 어디서 나왔는지 모를 야구 배트를 귀신 쪽으로 휘둘렀다. 표정이 경악으로 물들어 갔다. 만약 이 배트가 일반인의 눈에도 보인다면 상황이 심각해질지도 몰랐다. 마침 이곳을 지나가다 목격한 자의 눈에는 미친 새끼로 낙인찍히는 수준을 넘어 학교 폭력으로 오해할 여지가 충분했다. 민형이 급하게 부적을 꺼내 들었다. 악귀에게 던지려고 했다. 악귀가 괴성을 지르며 소멸하지 않았다면.

넋을 놓고 남자를 바라보았다. 있을 수 없는 일이다. 부적과 같은 효과를 낸 것이다. 어린이 스티커가 한가득한 이 한낱 야구 배트가.

"야, 너, 지금 이걸로 악귀를…."

"뭐야. 저게 보여?!"

"그럼 넌 안 보이는 줄 알면서 야구 배트를 사정없이 휘둘렀냐? 너 정체가 뭐야?"

"나는."

남자의 입꼬리가 시원하게 말려 올라갔다.

"류현우야."

현우를 따라 도착한 곳은 몇 분 거리에 있는 어린이집이었다. 운영이 잘 되는지 작은 부속 건물이 줄줄이 이어져 있었다. 처음 만났을 때부터 지금까지의 상황 모두 현실감이 없어 지금 꿈을 꾸고 있는 건지 의심스러워졌다. 건물 사이에 있는 틈에 세워진 작은 철문을 열고 들어가는 모습이 익숙하다. 어린이집 교장 아들인가. 지금으로선 그렇게 추측할 수밖에 없다.

"훈이 형, 저희 왔어요."

"이훈 선배?"

민형의 목소리에 당혹감이 서렸다. 자신이 아는 이훈은 구 전교 회장인데. 일 잘한다고 선생님들이 앞다퉈 칭찬 일색이었다는 얘기는 학교에서 유명했다. 얼마 안 가 훈이 얼굴을 드러냈다. 와. 그 사람 맞네. 민형이 마른세수를 하며 길게 한숨을 내쉬었다. 어쩌다 이렇게 일이 커졌는지 모르겠다.

"형, 애 귀신 본대."

"우리처럼?"

"우리보다 더 자세하게. 사람 형태로."

현우의 말에 따르면, 자신은 귀신이 보이긴 하는데 안 보인단다. 마치 도깨비불처럼 푸른빛이 둥둥 떠다닌다고. 민형은 그 말을 듣자마자 그게 귀신의 혼임을 알았다. 양기가 충분하지 못해서 혼만 보이는 것이다. 아까처럼 악귀 같은 경우에는 검은빛처럼 보인다고 했다. 그렇게 말하는 얼굴에 그늘이 졌다.

"문제가 있구나."

"눈치가 빨라서 좋다. 나는 길 잃은 혼들을 도와주는 역할을 해."

"뭐?"

"그 빛을 손 위에 올리면 하늘로 올라가더라. 성불한 거지. 난 죽어본 적이 없어서 잘 간 건지는 모르겠지만."

민형은 현우의 말을 잠자코 들으며 그간 쌓아왔던 지식이 처참히 부서지는 것을 느꼈다. 부적으로 귀신을 퇴치하는 일만 했던 민형에게는 성불이란 있을 수 없는 일이었다. 아버지도, 어머니도, 할아버지까지 그 누구도 민형에게 성불의 개념을 알려준 적이 없었으니까. 그저 소설에 등장하는 허상일 뿐이라고 생각했다.

"그런데 이제 악귀는 내가 어떻게 해줄 방도가 없어. 이 야구 배트도 훈이 형이 준 거야. 스티커로 가려져 있는데, 여기 부적이 붙어 있거든."

현우가 배트의 가운데 부분을 짚으며 말했다. 민형은 그제야 왜 귀신이 한 방에 소멸했는지 알 수 있었다. 배트에 무슨 힘이 있는 게 아니라 순전히 부적 때문이었구나. 하나를 해결하니 또 의문이 생기는 것이다. 그렇다면 부적은 누가 그렸는가? 민형의 표정을 읽은 건지 훈이 어깨를 으쓱했다. 본인이라는 뜻이었다.

"부적은 어디서 배웠어요?"

"어릴 때 어디 가문에서 배웠어."

정확히는 기억나지 않았다. 너무 어릴 적 이야기였고, 그곳에서 얻은 지식이라곤 부적을 그리는 법뿐이었으니까. 무조건 소멸시키는 구마 의식이 아니라면 무조건 반대하는 곳에서 얻을 게 뭐 있을까. 훈은 어차피 제자 입장이었기에 그 길로 가문을 나왔다. 부모님은 그 말을 듣더니 그저 고개만 끄덕이고 말았다.

민형은 잠시 의아해하더니, 커진 눈을 하고 제 입을 막았다.

"아, 설마. 그 김훈?"

"날 알아?"

"그 가문, 아마 우리 집일 거예요. 어릴 적에 선배 얘기를 들은 적이 있거든요. 선배 진짜 대단하네요. 저도 그럴 깡이 있었으면."

이 부적에 갇혀 살진 않았겠죠? 뒷말은 할 필요가 없다고 생각해 삼키기로 했다.

신목

셋은 자연히 어울려 다녔다. 말대로 자연스러운 일이었다. 남들은 이해할 수 없는 세계를 보는 능력을 가졌다는 공통점은 생각보다 큰 힘으로 작용했다. 민형은 새로운 시각으로 혼을 상대하는 법을 배우느라 여념이 없었다. 오죽하면 집에 들어가는 것도 마다할 정도였다. 마치 편월동의 고목과 놀던 어릴 적의 민형처럼.

성불시키는 모습을 볼 때마다 신세계를 본 듯한 설렘, 그간 보지 못했다는 아쉬움이 공존했다. 그러다 문득 그런 생각이 들었다. 아버지도 성불로 혼을 보내줄 수 있다는 사실을 알았을까. 훈의 이야기를 토대로 쌓아 올린 답은 '알았다'였다. 끝도 없이 파고 들어가다 보면 종국에는 허무함으로 가득 차서, 생각하는 것을 포기해버렸다. 그 정도로 정성 들일 의지도 없었다.

"그럼 동아리 시간에는 뭐해요?"

"뭐하긴. 동아리 이름이 뭐야. '미스터리 탐구부'잖아. 미스터리를 탐구해야지."

훈이 부장, 현우가 차장인 미스터리 탐구부는 부원이 두 명이었다. 그러니까, 앞서 소개한 저 두 명. 이걸 동아리라고 할 수 있나? 넋을 놓은 민형에게 가입 신청서를 건넨 둘은 허허 웃기만 할 뿐이었다.

동아리를 이전하는 것은 생각보다 복잡한 일이다. 그것도 학기 도중이라면 더더욱. 민형은 기존에 들어가 있던 영화감상부 담당 선생님, 2학년 부장 선생님, 담임 선생님과 번갈아가며 수 없이 이야기하느라 진땀을 뺐다. 거기서 거기인데 굳이 이런 수고를 하면서까지 옮겨야겠냐는 말이 주된 내용이었다. 민형은 속으로 소리를 지르며 겉으로는 네, 네. 하는 탄성처럼 짧은 대답만 내뱉었다. 마땅한 변명거리도 없었을뿐더러, 남은 기력도 없었다.

동아리 이전에 성공하고 겪는 첫 번째 시간이었다. 내색하지 않았지만, 실은 조금 기대했다. 귀신을 정확하게 볼 수는 없어도 밀접하게 관련된 사람들이다. 탐구라고 했으니 범상치 않아 보인 탓도 없지 않아 있는 것 같다. 동아리실은 빈 교실 하나를 빌려 단출해 보였다. 둘은 미리 큰 책상을 만들어 놓고 의자를 끌고 와 마주 본 채 심각한 이야기를 나누고 있었다. 알고 보니 딱히 하는 일 따위 없었는데 새 부원이 들어와 무슨 탐구를 할지에 관해 토론하고 있던 거지만.

"너 귀신이랑 대화도 할 수 있다고 했지?"

"네."

"해 봐."

"네?"

민형은 너무 황당한 나머지 속으로 생각할 말을 그대로 내뱉었다. 이게 무슨 개소리야?

훈은 민형과 현우를 데리고 아예 밖으로 나섰다. 담당 교사에게 잘 말해놓겠다고 따봉을 들어 올리는 모습에 헛웃음이 절로 나왔다. 현우는 야외 활동이라는 사실에 마냥 신난 것 같았고, 훈은 빨리 귀신이나 찾으라며 독촉했다. 상황이 이상하게 흘러가고 있었지만 이제 와서 막을 수도 없는 노릇이었다.

"여기는…."

"신목이네."

"신목이요?"

민형은 고목에 붙은 오방천이 살랑이는 모습을 바라보았다. 역시 신성한 나무였구나. 생각해 보니 여기도 오랜만이었다. 어릴 적 그 일이 있던 이후로 처음인 것 같은데. 햇볕이 쨍쨍 내리쬐고 푹푹 찌는 더위가 기승을 부렸다. 속절없이 흐르는 땀을 가볍게 닦은 훈이 고목 줄기를 만지작대더니 순간 고개를 획 돌렸다. 날카로운 표정. 귀신이었다.

"야, 민형아. 저기 좀."

"……"

훈이 가리킨 곳은. 민형이 다시는 가지 않겠다고 다짐했던….

민형은 그대로 굳어버렸다. 움직일 용기가 나지 않았다.

"이민형! 뭐하냐.

언제 저기까지 간 건지, 산 입구에서 손을 흔드는 현우를 보고 있자니 왜인지 모를 자신감이 생겼다. 민형에게 잊지 못할 상처를 주었지만 그만큼 잊지 못할 기억도 선물해준 장소였다. 근거 없는 자신감이라고 할지라도, 민형은 발을 디뎠다.

산은 몇 년이 지나도 여전히 험준했다. 학교에 있어야 할 시간에 등산이나 하고 있을 줄은 몰랐다. 현우도 처음에만 들떴지, 시간이 지날수록 점차 버거운지 말을 잃었다. 훈은 어느덧 같이 올라와 걷고 있었다. 말이 없어서 힘든 줄 알았더니 귀신의 기척을 느끼고 있는 듯 무언가에 집중한 모습이었다.

"귀신 있는 거 맞아, 형? 체력 훈련 아니지?"

"조용히 해, 류현우."

"예민하긴."

"귀신 찾고 계시잖아."

민형이 주의를 주다 말고 앞을 바라보았다. 여자가 나무 사이에 쭈그려 앉아 울고 있었다. 뒤로 조금만 움직여도 밑으로 굴러떨어질 정도로 위태로워 보였다. 달려 나가려는 민형의 팔을 낚아챈 현우가 고개를 저었다. 귀신이라는 뜻이다.

"귀신이 왜 여기…."

현우의 중얼거림에 여자가 번뜩 고개를 들었다. 눈을 제대로 마주치고 있는 민형에게 달려온 여자는 그대로 민형에게 매달려 눈물을 흘렸다.

"저, 저기. 진정 좀…."

"왜, 뭐 하는데?"

"나한테 매달렸어."

훈도 이 상황은 예기치 못했는지 한껏 당황한 얼굴로 이도 저도 못 했다. 귀신과 말이 통하는 사람은 민형뿐이었으므로 이 여자를 진정시키는 것도 민형의 몫이었다. 그간 귀신이 어떤 행동을 하기도 전에 소멸시켜버렸으니 귀신과 제대로 대화하는 것은 익숙지 않았다. 민형은 머리를 쓸어넘기더니 몸을 숙여 여자와 눈을 마주했다.

"무슨 일인지 말씀해주셔야 제가 도와줄 수 있어요."

"모두 죽었어요."

"네?"

"제 남편도, 갓 태어난 제 아이도, 저도…. 모두 죽어버렸어요. 이유를 당최 알 수 없어서 이승을 떠나지 못하고 있었는데, 저를 보는 인간은 처음이라 저도 모르게…. 놀라게 해서 죄송해요."

민형이 난감한 표정을 지었다. 죽은 당사자도 이유를 모르는데 살아 있는 학생들이 이유를 알 리가 없었다. 멀뚱히 서 있는 둘에게 이야기를 그대로 전해주는 동안 여자는 정말 누군가를 해할 마음이 없었는지 가만히 서서 눈을 빛내고 있었다. 드디어 마음 편히 갈 수 있겠다는 기대를 품었을 것이다.

훈은 냉정하게 도와줄 수 없다고 말했다. 민형은 안타까운 마음으로 고개를 끄덕였다. 그러나 그대로 물러날 수 없었다. 미련 없이 등 돌리는 둘을 막은 건 현우였다. 지금쯤 직접 하늘로 올려보냈어야 했을 현우는 제가 그 일을 겪은 것처럼 아픈 표정을 하고 있었다.

"우리는 학생이야. 이렇게 큰 사건은 해결할 수 없어."

"그래도…."

"현우야. 그냥 보내줘."

"혼자 남은 거잖아."

현우도 어찌 보면 같은 처지였다. 모두 죽고 혼자 남은 사람. 현우가 성불시키는 힘을 가지고 있다는 사실도 그때 알게 되었으니까.

12살 적의 이야기였다. 교통사고로 돌아가셨다는 이야기를 들은 직후에는, 사실 현실감각이 없어 생경하게 다가오지 않았다. 꿈 같았다. 홀로 큰 침대에 누워 있어도 금방 들어와 곁에 누워 줄 것 같았다.

그날 꿈을 꾸었다. 온통 검은 세상 속에서 푸른빛 두 개를 마주하고 있는 꿈이었다. 그저 꿈이었지만 알아챌 수 있었다.

"엄마 아빠구나."

꿈에서 깨어나도 푸른빛 두 개는 여전히 현우의 곁을 맴돌고 있었다. 현우는 그 빛을 잠시 바라보다가, 저도 모르게 손을 들어 올렸다. 손바닥으로 감싸자 푸른빛이 하늘로 올라갔다. 집 천장을 통과하길래 창문을 열고 배웅까지 해주었다.

"잘 가."

현우는 그 후로도 종종 귀신을 보면 하늘로 보내주었다. 구마시키는 것이 아니다. 성불시키는 것이다.

 그래서 현우는 여자를 그냥 보내줄 수 없었다. 혼자서라도 해결해보고 싶으나 그럴 수 없는 자신이 원망스럽기까지 했다. 민형이 현우와 여자를 바라보았다. 여자는 숨죽여 울고 있었다. 신기하지 아니할 수 없다. 자신처럼 귀신이 보이는 것도, 직접 이야기를 들은 것도 아닌데 어쩜 저렇게. 처음 들었던 감정은 무모함이었고, 그다음은 신기하게도 동질감이었다. 어릴 적의 자신을 보는 듯했다.

 "그러다 네가 다치면? 그때는 어떡할 건데."

 이것은, 사실 어렸던 자신에게 묻고 싶은 질문.

 "넌 그러면 그냥 둘 거야? 아님 소멸시키게? 난 싫어."

 "……"

 "이래도 후회, 저래도 후회할 거면, 하고 후회하는 게 나아."

 민형은 결국 시원하게 웃는 현우의 뜻을 따를 수밖에 없었다.

 훈이 크게 한숨을 내쉬었다. 갑자기 현우의 옆에 선 민형은 현우 만만치 않게 비장한 표정을 하고 여자에게 이것저것 묻기 시작했다. 이를테면 죽은 시기라던가 징조 같은 것들이 있었는지 등등. 반쯤 포기한 듯하던 여자는 몸까지 굽혀가며 질문하는 민형에 얼떨떨해하면서도 착실히 답했다.

 "죽은 지 100년은 훌쩍 지난 것 같아요."

 "100년이요?"

잠자코 들으려던 민형이 이마를 짚었다. 시작부터 심상치 않았다.

"일단 계속 얘기해보세요."

"그때 어떤 할아버지께서 저 밑의 신목에 고사를 지내라고 하셨어요."

"신목이라면…, 저 나무?"

여자가 고개를 끄덕이고 계속해서 말을 이었다. 신분은커녕 정체조차 알 수 없었기에 그저 무시했던 것이 아마 화근이었을 거라고 말하는 얼굴이 죄지은 듯 죄책감으로 가득했다. 여자는 보다 못한 민형이 달랠 정도로 크게 자책하고 있었다.

민형은 구부린 몸을 펴 일어섰다. 아무래도 갈피가 잡힌 것 같았다.

"문제는…."

"'마을 사람들을 어떻게 설득시키냐'가 문제지."

앞길이 막막하기만 하다. 해봤자 고등학교 졸업도 못 한 중졸들이 이제 아무짝에도 쓸모없어진 늙은 나무에 고사를 지내야 한다고 소리친들 들어줄 사람이 있을 리 만무했다. 심지어 민형은 보는 눈이 많았다. 집에 늦게 들어온다고 어디서 뭐 하냐는 재촉의 연락도 수시로 오고 있었으니 말은 다 한 셈이다. 다시 무릎을 굽히고 쭈그려 앉아 쭉 편 팔에 얼굴을 묻었다.

"역시 안 되겠…."

"내가 할게."

구마편

"뭐?"

훈이 인상을 찌푸렸다. 뭔 소리야. 그렇게 말하기도 전에 현우가 벌떡 일어나 비탈길을 내려가기 시작했다. 야! 급하게 불러 봐도 안 들리는지 빠르게 내려갈 뿐이었다.

"야, 민형아. 넌 쟤가 뭐 하려는지 짐작 가냐?"

"형이 더 잘 알아야 하는 거 아니에요?"

"나도 쟤를 잘 모르겠다."

한숨이 절로 나왔다. 둘은 여자 귀신을 사이에 두고 그렇게 한참을 서 있었다.

경사진 길을 뛰어 내려가는 것은 생각보다도 더 버거운 일이었다. 가다가 굴러떨어질 뻔하고, 실제로 넘어져 흰 교복이 흙 투성이가 되기도 했다. 겨우 내려왔을 때는 하복 아래 팔에 여기저기 긁힌 상처가 하나둘 남아 있었다. 민형과 싸울 각오로 내려왔다. 굳이 제 계획을 말하지 않은 이유이기도 했다.

"아무도 안 계세요?"

거대한 대문은 주먹에 힘을 주고 두드려야 겨우 소리가 났다. 여러 번 두드리자 문이 열리고 광활한 마당이 펼쳐졌다. 좁은 옥탑방에서 부모님과 셋이서 살던 현우에게는 드라마에서나 보던 풍경이었다. 넋을 놓고 보고 있자니 누군가가 다가와 무슨 일이냐고 묻기도 전에 몸을 훑었다. 그 시선이 퍽 기분 나빠 째려보니 상대가 되레 황당한 표정을 지었다.

"누구세요?"

"저 민형이 친군데요."

"민형이요?"

"민형이가 위험해요."

현우의 장점이자 단점은 바로 무모함이다.

용기

이제 꿈에도 나오지 않는 어린 시절의 기억이 있다. 민형이 귀신을 구마 시키는 데 관심이 일절 없던 시절. 귀신이 나쁜 가? 민형은 종종 스스로 질문을 던지곤 했다. 고목 아래에서 놀다 보면 여러 귀신을 보았다. 민형처럼 어려 보이는 또래 귀신, 아버지처럼 다 큰 어른 귀신, 그 사이에 있는 듯한 학생 귀신 등등.

그들은 민형이 자신을 본다는 사실에 놀라 하기도 잠시, 민형에게 여러 세상 이야기를 들려주었다. 제주도라는 섬은 귤이 맛있고, 여기서 조금만 걸어 나가면 시내가 있는데 야경이 멋있다는 등의 시시콜콜한 이야기가 전부였지만 민형은 조금이라도 더 듣고 싶어 안달을 냈다. 민형의 집에서는 항상 구마 의식 소리와 비명만이 즐비했으므로, 부모님은 한 번도 해준 적 없는 이야기였다.

그렇기에 민형은 줄곧 귀신이 나쁘지 않다고 결론지었다. 귀신을 늘 경계하고 조심해야 하는 존재라고 강조하는 아버지와는 달랐다.

"인간, 너는 내가 보여?"

"응."

"그럼…. 내 소원 하나만 들어줄 수 있어?"

앳된 얼굴의 귀신이 말하는 소원이란 간단했다. 자신의 엄마를 찾아가 슬퍼하지 말라고 말해주는 것. 그리 어려운 일도 아니기에 흔쾌히 수락한 민형이 자리에서 일어나려다 발을 헛디뎌 크게 비틀거렸다. 급하게 움직인 오른발이 땅 위로 드러난 나무뿌리에 닿았다. 뭐지, 바람이……. 헝클어진 머리를 한 손으로 정리하고 길을 나섰다. 알 수 없는 기운이 민형의 몸을 둘러 감쌌다.

나를 찾아와준 값이다. 옅은 바람에 오방천이 살랑였다.

귀신은 자신을 보는 민형이 신기한지 자꾸만 말을 걸어왔다. 네 이름은 뭐야? 정말 내가 보여? 몇 살이야? 질문이 하나같이 순수했다. 민형은 이 아이가 죽지 않은 상태로 함께 노는 상상을 했다가 이내 마음이 아파져서 그만뒀다. 넘어질 뻔했을 때 민형을 잡아주려 뻗었던 손이 그대로 몸을 통과하는 것을 봤기 때문이다.

이상함을 느낀 것도 그쯤이었다. 민형은 뒤를 돌아 걸어온 길을 가늠하려 했다.

"왜 뒤를 봐?"

섬뜩한 어조에 소름이 돋았다. 그제야 상황이 잘못 흘러가고 있다는 사실을 깨달았다. 앞을 보았을 때, 민형은 다리에 힘이 풀려 주저앉을 수밖에 없었다. 또래 귀신은 어디 가고 늙은 삵이 민형을 노리고 있었다. 그 여우가 인간의 간이나 부속물을 먹고 요괴가 된 삵이라는 것은 훗날에야 알게 되었다. 인간이 되고 싶어 귀신을 보는 어린 민형의 간을 탐한 것이다.

"사, 살려주세요….."

어린 민형은 부적을 그리는 법도, 사용하는 법도 몰랐다. 할 수 있는 행동이라고는 살려달라 비는 것뿐이었다. 두려움에 못 이겨 눈을 꾹 감았을 때, 어디선가 짖는 소리가 들려왔다. 소리는 점점 커지더니 바로 앞에서 멈췄다.

"…진돗개?"

어디서 왔는지 모를 진돗개 여덟 마리가 민형을 감싸고 있었다. 민형은 영문도 모른 채 눈을 끔뻑였다. 개들은 삵을 향해 살기를 내뿜으며 금방이라도 물어뜯을 듯이 사냥 자세를 취했다. 민형을 지키기 위한 모양새였다.

삵이 인간의 모습으로 변했다. 아까는 어린아이의 모습이더니, 이제는 다 늙은 할머니의 형상이었다. 진돗개를 무서워하는 삵 요괴는 잔뜩 겁먹은 표정을 한 삵은 삼십육계 줄행랑을 쳤다. 탁 긴장이 풀린 민형이 삵 요괴가 완전히 모습을 감추자마자 스르르 쓰러졌다. 진돗개들은 사라지는 대신 부모님이 올 때까

구마뎐

지 민형의 몸을 받치고 곁을 지켰다.

아버지는 그날을 기점으로 민형에게 부적에 대해 가르치기 시작했다.

[보면 당장 들어와라.]

[밖에서 뭐 하나 했더니 이런 애랑 어울렸구나.]

아버지의 문자를 받았을 때는 해가 뉘엿뉘엿 지고 있었다. 목소리가 들리지 않는데도 분노가 휴대폰 액정을 타고 느껴졌다. 현우가 무슨 짓을 벌이고 있는지 대강 눈치챌 수 있었다. 민형은 새하얗게 질린 얼굴로 훈의 팔을 잡아 이끌었다. 아까 산을 타고 내려가던 현우처럼, 무언가에 쫓기듯이. 엉겁결에 홀로 남은 여자가 머뭇거리다 민형의 뒤를 따랐다.

"이민형!"

아버지의 호통은 간만이었다. 절로 움찔하는 어깨는 어떻게 막을 용도가 없었다. 민형이 아버지를 쳐다보는 대신 옆의 현우를 바라보았다. 온몸이 상처투성이였다. 뺨이 붉게 달아올라 보기만 해도 따끔거렸다. 민형은 심장이 쿵 떨어지는 느낌을 받았다.

"아버지가 현우 저렇게 만들었어요?"

"뭐라고?"

"쟤, 아버지가 때렸냐고요."

알 수 없는 감정이 치밀었다. 분노? 억울함? 슬픔? 그런 것들이 아니었다. 함부로 손을 들지 않는 사람이라는 것은 안다. 하지만 얼마든지 그럴 수 있는 사람이라는 것도 알았다. 민형이 투박한 걸음으로 현우의 앞에 서서 어깨를 잡아 일으켜 세웠다. 야, 잠깐만. 현우가 말리는 소리가 들렸지만, 이상하게도 귓속에 박히지 않았다.

"너 뒤에 귀신이 있다는 건 알고 이러는 거냐?"

"네, 알아요."

여자는 민형에게 다가가는 대신 훈의 옆에 서 있었다. 민형은 정말이지 이런 상황이 너무 싫었다. 아버지 앞에만 서면 귀신들은 죄인이 된다. 분명 죄를 짓지 않았는데도, 따로 있을 범인을 찾는 것도 모자라 애꿎은 존재를 벼랑 끝으로 몰았다. 그 끝에는 민형도 위태롭게 버티고 있었다.

"제발 그만 해요, 아버지!"

처음으로 큰 소리를 냈다. 야, 진정해. 훈이 다가와 어깨에 손을 올리는 것도 세차게 뿌리치고 말했다.

"저 구마 같은 거 안 하고 싶어요. 귀신들이 고통스러워하는 소리도 듣기 싫고, 울부짖는 소리 무시하고 소멸시켜버리는 것도 싫어요. 저는 이야기를 잘라내는 대신 들어주고 싶다고요."

"너, 너…."

"제가 하기 싫다고 얘기할 때마다 '네가 철이 안 들어서 그러는 거다', '귀신은 있으면 안 된다'라고만 하시는데, 솔직히 제 말 한 번이라도 제대로 들어보신 적 있으세요?"

구마뎐

민형은 분을 못 이겨 거친 숨을 내뱉었다.

"야, 이민형. 진정 좀 하고…."

"아버지가 뭐라고 했어?"

"어?"

"너 고사 얘기했잖아."

현우는 멋쩍게 웃을 뿐 민형의 질문에는 대답하지 않았다. 말하지 않아도 알 것이라고 생각했다.

현우를 마당 한가운데에 데려다 놓은 남자는 민형의 아버지를 불러왔다. 처음에는 엄청 닮았다는 등 실없는 생각을 했었는데, 말을 꺼내는 순간 와장창 깨졌던 것 같다. 현우의 말을 제대로 듣기도 전에 다가와 뺨을 내리치고는 냉정한 목소리로 말했다.

"민형이가 위험하다고? 민형이는 내가 키웠다. 위험하지 않게."

"…네?"

어이가 없어서 절로 되물음이 나왔다. 아들이 위험하다는데 저런 말이 나올 수 있나? 그제야 현우는 왜 민형이 그간 집에 들어가려 하지 않았는지에 대해 알 수 있었다. 집에 가서 성불의 'ㅅ'자만 꺼내도 뒤집히겠구먼. 뺨이 아픈 것은 둘째치고 우선 잘못된 것을 돌려놔야 한다는 생각이 앞섰다. 고사 얘기에 또 어떻게 대응할지 겁이 났지만 여기까지 왔으니 어쩔 수 없었다.

"귀신을 만났어요. 100년 전쯤에 여러 명이 단체로 죽는 일
이 발생했는데 이유를 알 수 없어 조용히 묻힌 사건이에요. 그
이유를 알고 싶어서 올라가지도 못하고 떠돌고 있다고 했어요.
민형이가 해결해줄 수 있어요. 아저씨 도움만 있다면…."

현우의 말은 반대쪽 뺨을 맞으면서 대차게 끊겼다. 예상한 반
응이었다. 현우는 욱신거리는 뺨을 잡고 노려보았다.

"성불시킬 수 있어요! 소멸시키는 것만이 방법은 아니에요!"

그 말에 무슨 표정을 지었더라. 경멸과 혐오가 복합적으로 섞
인 표정이었다. 현우는 살면서 그런 표정을 직접 받아 본 적이
없어 그저 황당할 뿐 어떠한 반응도 할 수 없었다.

그리고 민형이 왔다. 민형이 그린 상황 그대로였다.

"너도 그렇게 생각하나? 성불이 정말 좋은 방법이야?"

"아버지."

"내가 그간 가르친 것이 하등 쓸모없다고 느끼냐고 묻는 것
이다."

"무슨 말을 그렇게 하세요."

훈이 삐딱하게 서 있다가 고개를 갸웃했다. 민형은 무언가를
감내하듯 한동안 말이 없다가, 조용히 탄식하듯 말을 내뱉었다.

"저는 성불이 뭔지도 몰랐어요, 아버지."

"……."

"아버지가 가르쳐준 적이 없잖아요. 쓸모없다고 느끼지 않아

요. 물론 중요하죠. 그런데….”

민형이 조소를 흘렸다.

“제게는 선택권조차 없었다고요.”

눈물이 뺨 위에 눈물길을 그리며 흘러내렸다. 마당의 모래 위에 투둑 떨어져 진한 자국을 남겼다. 민형은 용기를 내어 꾹꾹 눌러 담았던 말을 쏟아냈다. 정말 큰 용기였다. 속이 후련하다 못해 허무했다. 아버지는 말을 잃고, 현우는 ‘울지 마.’하며 민형을 달랬다. 훈도 달려와 민형의 등을 토닥였다. 어떻게 이럴 수 있을까. 피로 이어진 아버지보다 더 돈독한 존재.

그제야 알았다. 아버지라는 이름이 과연 적절한가. 그는 무릇 ‘아버지’가 ‘아들’에게 해야 했을 작은 행동 하나 해본 적 없다.

결국

동네가 온종일 소란스러웠다. 훈이 지겹다는 듯 귀를 막고 책상 위에 엎어졌다. 입 좀 막으라며 손을 설렁설렁 흔들더니 그마저 지쳤는지 그만뒀다. 여름은 가실 기미조차 없고, 날씨는 여전히 땡볕이었다. 이 날씨에 고사를 지내는 것은 지극히 잔인한 처사였다.

“야. 고사 그거. 날씨 좀 풀리고 하면 안 돼?”

“안 돼요. 송연 씨 빨리 보내드려야죠.”

사건의 발화점이었던 여자는 자신을 송연이라고 소개했다. 자꾸만 미안해하는 송연을 보며 하루빨리 고사를 치러야겠다고 생각한 민형은 자처해서 팔을 걷어 맸다. 동네에서도 마지막 고사가 몇십 년 전이었기에 하나부터 열까지 처음부터 다시 해야 했다. 신성한 존재에게 비는 의례이기 때문에 사소한 것이라도 놓쳤다가는 오히려 악효과를 불러올 수도 있었다.

열심히 준비한 만큼 고사는 순조롭게 진행됐다. 낡은 오방천도 새로 바꿨고 동네 사람들 모두를 참석할 수 있는 날로 정했다. 현우가 엄지를 척 들고, 훈이 혀를 내두르는 동안 민형은 웃기만 했다.

"감사해요, 학생들."

날이 좋은 날, 고사를 다 지내고 오방천이 바람에 흔들리는 순간. 송연은 마지막 말로 감사 인사를 전했다. 이제 현우의 차례였다.

"제 부모님께 안부 인사 물어봐 주세요."

"당연하죠. 아들이 정말 잘 컸다고 할게요."

그 말에 현우가 호탕하게 웃었다. 감사합니다.

"조심히 잘 가세요."

마법처럼 현우의 인사가 끝나자 송연은 하나의 푸른빛이 되어 하늘로 올라갔다. 셋은 나란히 서서 손 인사로 마지막의 마지막까지 배웅했다.

구마뎐

“어때?”

“뭐가.”

홀가분한 마음으로 자리를 정리하는 민형에게 훈이 대뜸 물었다.

“첫 성불. 어떻냐고.”

“…그걸 말이라고 해?”

민형은 짐짓 정색하는 듯하더니, 이내 입꼬리로 호선을 그렸다.

“당연히 행복하지.”

민형은 이제 더는 절벽 끝자락에 있지 않았다.

새로운 여정을 위해 걸어가고 있었다.

아버지

송연을 보내고 일주일이 지났다. 귀신과 대화하는 것이 오랜만이라서 그랬는지, 아니면 성불이라는 개념을 처음 배워서 그런 건지는 모르겠지만, 삵요괴를 직면했던 그 날의 꿈을 꾸었다. 민형은 흐릿해진 두려움을 안고 천장만 빤히 올려보고 있었다.

아버지가 문을 열고 들어온 것도 그때쯤이었다. 민형이 자신도 모르게 눈을 감고 자는 척을 했다.

“아들, 자?”

아들. 한 번도 그렇게 불러본 적 없었다.

하지만 익숙하다. 민형은 단편적인 기억 사이를 더듬고 더듬어 하나의 기억을 찾아냈다.

민형아! 이민형!

이건 아버지의 목소리. 중간중간 어머니의 목소리도 들리는 것 같았다. 민형이 천천히 눈을 떴다. 눈앞에 보이는 모든 것들이 어두워 현실감각이 없었다. 민형은 잠시 주위를 둘러보다 몸을 일으켰다. 제 몸만 한 진돗개를 베고 있었다는 사실도 그제야 알았다.

미안, 강아지야.

사과하고 나자 조금 무서워진 것 같다. 민형은 삵 요괴를 떠올렸다가, 이곳이 숲속이라는 사실도 함께 떠올렸다. 훅 들어온 공포감은 어린 민형이 견딜 수 없는 것들이라서, 저절로 눈물이 났다. 엉엉 우는 민형에 진돗개들은 주위를 돌다가 하나둘 짖기 시작했다.

민형아!

그 소리에 달려온 아버지가 민형을 끌어안았다. 눈물이 뚝 멎을 정도로 놀란 민형이 이도 저도 하지 못하고 굳어버렸다. 아버지는 뒤이어 어머니가 오고 나서야 민형을 놔주었다.

아들, 괜찮아?

아, 그때 들었구나. 7살 때 있었던 일인데 용케 기억하고 있었다. 민형은 막 잠에서 깬 사람처럼 슬며시 눈을 뜨고 끔뻑거렸다. 아버지는 옆에 앉아 민형을 바라보았다.

"깨워서 미안하다."

"아. 아니에요, 뭐….."

한껏 화내고 눈물을 쏟아내 고사를 지내도 된다는 허락을 받았던 날 이후로 부자는 아주 어색한 사이를 유지했다. 또다시 정적이 흘렀다. 민형은 괜히 숨 막히는 기분에 허둥지둥 입을 열었다.

"그, 야밤에 왜 오셨어요?"

"하고 싶은 말이 있어서."

아버지는 또 한참을 입만 달싹이다가, 천천히 털어놓기 시작했다. 숨기는 게 정답이라고 생각했던 속마음을.

"네가 삶 요괴를 만났던 날, 정말 무서웠다. 귀신뿐만 아니라 요괴도 언제든 너를 노릴 수 있다는 사실을 망각했어. 그래서 부적 그리는 법을 가르친 거야. 부적은 요괴도 물리칠 수 있으니까. 김훈이나 류현우처럼 영기가 약한 애들은 먹으나 마나라는 이유로 건들지 않지만, 너는 달라. 너는 영기가 아주 뛰어나서 요괴들에게 좋은 먹잇감이 되지."

민형은 처음 들어보는 말에 머릿속을 정리하느라 애를 썼다.

"악귀도 똑같아. 악귀와 요괴의 공통점이야. 인간이 되고 싶고, 인간의 몸을 탐하는 것."

"……."

"그런 것들은 성불로 퇴치할 수 없어. 만약 성불을 알려줬다면 마음 약한 너는 구마 시키기보다 성불시켜주겠다며 나섰겠지."

맞는 말이었다. 실제로 7살의 민형이 그랬었고

"나는 네가 다치는 것이 싫었다. 네 아빠잖니."

말속에서 두려움을 찾아내는 일은 어렵지 않았다. 민형은 무어라 말하는 대신 몸을 일으키고는 아버지를 안아주었다. 울고 있는 민형을 찾아 안아주었던 그 날처럼.

"감사합니다."

많고 많은 말 중에서 겨우 골라 꺼내놓는 데 오랜 시간이 걸렸다.

오래도 돌아왔다. 아버지는 픽 웃더니 민형을 마주 안았다. 가족의 모습이었다.

구마던

똥그랑땡 작가

<나의 바다>

나의 바다

삐삐삐삐-, 탁.

"사장님, 이건 여기에 놓으면 될까요?"

"네! 거기에 두세요! 네~"

지금부터 내가 해줄 이야기는 내가 어쩌다가 세상을 로망하고 그 세상을 갖게 됐고 어떻게 그것을 다시 잃어가는 것에 대한 이야기다.

1995년, 7월 25일 나는 아쿠아리움을 개장했다.

어린 시절부터 해양 쪽에 관심이 많아서 엄마가 관련 서적을 많이 사주셨다.

심해어나 상어의 종류 또는 고래의 종류가 쓰여 있는 도서들을 읽으며 해양 유기화학이나 해양 무 기하학 등 해양 관련 학과를 꿈꾸며 자랐다.

그러던 어느 날 고등학교 1학년 때 딱 한 번 스치듯이 본 잡지가 보이지 않았던 마지막 남은 퍼즐 조각 하나를 찾고 그 퍼즐을 맞춘 듯이 아쿠아리움 개장이라는 꿈을 가지게 되었다.

"엄마! 이게 뭐야? 순 영어뿐인데?"

소파를 등받이로 하고 텔레비전을 보시던 엄마한테 가서 영어만 잔뜩인 책에 대해 여쭤보았고 엄마는 눈에서 갑자기 빛이라도 나는 듯 말씀하셨다.

"아~ 그거? 이번에 도서관에 새로 나온 건데 딱 너 취향으로 보이길래 가져왔어~보면서 영어 공부도 같이하면 좋고~"

영어 공부시키려는 엄마의 속마음이 잘 보였지만 해양 관련 이야기니 한 번 읽어보기로 했다.

엄마가 사 오신 책은 미국 **월드라는 아쿠아리움에 대한 이야기였다.

해양생물을 수족관에 두고 동물원처럼 구경할 수 있다는 것을 읽었을 때는 공상과학 소설을 읽는 기분이었다. 정말 말 같지도 않지만 그게 이미 구현되고 있다는 사실에 경악을 감출 수 없었다. 그리고 가장 신기하였던 건 범고래 쇼였는데 범고래를 길들여서 사람들 앞에서 공연한다는 내용이었다. 나는 이걸 실제로 보고 싶었지만 그럴 여권이 되지 않았다. 그래서 대한민국의 아쿠아리움을 세워 대한민국 사람들도 해양생물에 대해 관심을 가지고 있다면 누구나 볼 수 있게 만들어야겠다는 마음을 가지게 된 것이다.

내가 세운 아쿠아리움은 대한민국 최초의 아쿠아리움이었던만큼 희귀성이 도드라져 동물원 못지않게 많은 사랑을 받았다.

가족, 또는 연인과의 데이트라는 명목으로 오는 손님들, 그저 수조 속의 해양생물이 궁금하였던 손님 등 정말 다양한 손님들이 있었다.

나의 바다

이처럼 나의 아쿠아리움은 수족관 밖이든 안이든 다양한 모습과 다양한 사연과 다양한 것들이 형태를 띠며 나의 아쿠아리움을 가득 채웠다.

미국 아쿠아리움 잡지에서 범고래 쇼를 한 것을 보고 아쿠아리움을 세운다면 꼭 해보고 싶었던 것이 있었는데 그것은 바로 돌고래쇼였다. 돌고래의 아이큐는 80 정도로 상당히 높은 것으로 알려져 있어 사람을 좋아하여 범고래보다 훨씬 다루기 쉬울 것이라고 생각했다.

그리고 예상대로 머리가 좋은 녀석들이라 그런지 말도 잘 듣고 쇼도 잘 따라와 나의 아쿠아리움에서 가장 큰 매력 포인트가 되었다.

그렇게 따뜻한 빛만을 바라볼 것 같던 나의 아쿠아리움은 한랭전선을 마주하게 되었다.

지난 몇 달 전부터 손님이 줄어드는 것을 보이긴 하였지만, 그저 신상이라는 거품이 빠진 것이라 생각하였다. 하지만 하락세는 지속되었고 직원들과 긴급회의를 하게 되었다. 토의를 해본 결과, 나라 경기가 좋지 않다 와 일회성 콘텐츠 때문이라는 의견이 나왔다. 첫 번째 이유는 내가 해결할 수 있는 영역이 아니라고 생각했다. 하지만 두 번째는 충분히 해결할 수 있는 문제라고 생각했다. 새로운 공연이 있으면 다시금 아쿠아리움은 사랑을 받으며 하락세를 이겨내리라 생각했다.

지속적인 고강도의 훈련은 금세 돌고래들을 지치게 만들었다. 이전에 맑고 빛나는 눈과 곧게 펴있는 지느러미는 어디 가고 초점 없는 눈과 축 처져있는 지느러미만 남았다. 눈에 바로 보이는 만큼 피할 수 없는 현실이었다.

이렇게까지 하지 않으면 내 아쿠아리움이 망한다는 생각이 회의감을 들게 하기도 하였다. 하지만 그럼에도 나와 직원들은 쇼를 매번 다르게 만들며 돌고래들을 지치게 만들었다.

주기적으로 바뀌는 공연으로 한랭전선이 좀 옅어졌다.

다시금 아쿠아리움이 사랑을 받는다는 얘기이다. 하지만 그 속을 들여다보면 그리 좋은 풍경은 아니었다. 왜냐하면 아쿠아리움에 주 고객들이 나라의 경기 속에서도 데미지를 받지 않는 손님들이 주를 이루었기 때문이다. 내가 원한 것은 이런 게 아니었다. 모두가 같이 정당한 가격에 값을 치르고 내가 좋아하고 나의 내가 사랑하는 바닷속 그들의 모습 볼 수 있게 하는 것이 나의 꿈이었는데 이건 그저 그들끼리 장소로 삼아지는 기분이었고 회의감을 이길 수 없었던 나는 아쿠아리움 문을 닫았다.

돌고래들의 혹독한 훈련으로 벌었던 수익은 직원들의 월급과 아쿠아리움 관리하는 비용으로 사용하였다. 그리고 당분간 아쿠아리움을 운영할 수 없었기에 직원들과 작별을 고하고 나는 아쿠아리움을 개장하기 전에 일했던 일터로 다시 돌아갔다. 다시 그곳에서 일을 하며 아쿠아리움 개장 전의 기분을 다시금 상기시킬 수 있는 기회가 되었다. 내가 어쩌다 바다를 사랑하게 됐는지를 말이다.

초등학생 시절, 해녀 셨던 엄마는 나를 자주 바다로 데리고 가시곤 했다.

모래사장 위에 물결치는 푸른 바다를 보며 등교 후와 하교 전인 나의 일상 속에서 상처받았던 것을 위로받곤 하였다.

그래서 학교가 끝나면 곧장 어머니의 일터인 바다로 달려가기 시작했다.

그러던 어느 날, 엄마가 수영모랑 물안경, 수영복 등 바닷속을 헤엄치기 위해 필요한 것들을 주시며 바닷속을 한번 봐보라고 제안해주셨다.

"자 이걸 쓰면 바닷속에서 눈을 떠도 눈이 전혀 안 따가울 거야. 숨을 꾹 참고 바닷속을 한번 봐보렴."

나는 엄마의 고글을 쓰고 바닷속을 들여다보았다. 그리고 물 위에 햇빛을 받아 아름다운 빛을 내는 해양생물들이 나를 마주하였다. 그것은 아름다웠으며 산업혁명을 이루던 그 시대의 흑백의 모습과는 차원이 달랐다. 나만 보기 너무 아까운 절경이었으며 여태 이런 모습을 혼자 독차지한 엄마를 부러워하였다. 그리고 내가 가지 못하는 넓고 깊은 바닷속에 대해 알고 싶다는 생각을 하였다.

나의 바다

원래는 하교 후 나의 목적지는 바다였지만 그 일 이후 도서관으로 바뀌었다.

바다 관련 서적을 읽으며 인간의 몸이나 현대 과학으로는 도저히 직접 볼 수 없는 물고기에 대한 책을 읽으며 바다에 대한 지식을 쌓았다. 난 아직도 처음 도서관에서 읽었던 책의 내용을 기억한다. 흰동가리는 말미잘의 독에 면역이 있어서 말미잘의 있는 독소가 니모의 몸의 끈끈한 점액이 이를 막아준다고 한다. 그래서 흰동가리가 말미잘 안으로 들어가 흰동가리의 적을 쫓아주는 역할도 한다는 설명이 되어 있었다.

어찌 보면 공생관계로 보이는 이것에 흥미를 느끼게 되었고 나의 꿈에 대한 첫 번째 퍼즐 조각이 되었다.

해외에서 보여지는 아쿠아리움은 돌고래나 범고래 등에 포유류를 훈련시켜 관람객들에게 물 안에서의 공연을 보여주거나 악어와 같은 파충류를 훈련시키며 물 밖에서의 공연을 하는 것이었다. 해양생물을 공부하면서 해양 연구원을 희망하였으나 그 잡지를 보고 생각이 싹 바뀌었었다.

나는 해양생물을 사랑했고 내가 사랑하는 것을 나만 아는 것이 아닌 모든 사람에게 보여 주고 싶었다. 아름다운 자태와 서로 다른 그들의 공생관계를 말이다.

그렇게 아쿠아리움 개장이라는 꿈을 세우고 공부하며 해양환

경과학과로 대학을 들어갔다. 졸업 후에는 돈을 바로바로 벌 수 있는, 바로 독립이 가능한 일을 하며 자본을 축적하고 세운 게 바로 그 아쿠아리움이었다.

어릴 적 회상으로 인해 나는 다시금 생각했다. 나는 나의 아쿠아리움을 다시 열 것이고 차별 없이 모든 이들에게 바닷속을 보여 줄 것이라고 다짐하였다.

하지만 나는 얼마 가지 않아 쉬지 않고 고된 노동으로 고혈압으로 쓰러지게 되었다.

"라…벨라!!"

나를 부르는 그의 목소리가 들려온다. 차가우면서 따뜻한 어린 시절 살았던 나의 고향 같은 그의 목소리가 들려온다.

어린 시절 나의 어머니의 품에서 이곳에 오게 된 후, 나의 삶은 180도 달라졌다.

바닷속에서의 나는 무리를 지어 다니며 바닷속을 탐험하며 먹이를 잡아먹었다.

하지만 이곳은 무리를 지어 탐험을 할 만큼 넓지도 않았고 먹이를 잡을 필요도 없었다. 이곳에서의 나의 역할은 그의 말을 따라 고막이 찢어질 듯한 소음을 들으며 좁은 수족관을 도는 것이다.

겉으로 보기에는 분명히 바닷속과 똑같았다. 하지만 이곳은 헤엄치고 싶은 만큼 헤엄칠 수 없었고 뻗어나갈 수 없었으며 들리지 않았던 소음들이 내 고막을 찢었다. 그렇게 괴로워하면서 이곳을 탈출하고 싶다는 생각만 들었다.

숨 막히는 이곳을 탈출하여 하루빨리 엄마를 찾아 넓은 해저를 헤엄치고 싶었다.

하지만 그것은 불가능에 가까웠으며 시간이 지날수록 희망은 사라졌다.

분명 바로 앞에 있었던 엄마가 사라지듯이 말이다.

내가 이곳에서 살아남기 위해 몸에서부터 반응하는 활동을 자제하였고 그의 눈에 띄게 행동하여 사랑을 받았다. 그에게 사랑받는 것은 간단하였다. 내가 가장 싫어하는 소음을 구걸하며 높이 뛰고 그의 친구로 보이는 그들 곁에서 헤엄치기만 하면 되는 것이었다.

하지만 이제 이렇게 해도 그의 성에 차지 않는다는 것을 깨달았다.

상냥하기만 그의 목소리가 좀 차가워졌기 때문이다.

이렇게 깨닫게 된 건 듣기 좋았던 그의 목소리가 내가 가장 싫어하는 소음과 비슷해졌기 때문이다.

그가 기분이 좋지 않으면 나도 기분이 좋지 않았다. 그가 기분이 안 좋으면 우리에게 그것을 너무 잘 표현해줬기에 나뿐만이 아닌 다른 돌고래들도 같이 스트레스를 받아갔다. 평소보다 더 강압적이게 힘든 것을 시키며 나는 더 이상 바닷속 같은 사

람이라고 생각할 수 없었고 밝은 눈으로 그를 쳐다볼 수 없었
다.

하지만 어느새 시끄럽기만 했던 이곳이 고요해졌다. 그리고
힘든 활동도 그만하게 되었다. 아무것도 하지 않음에도 내가 배
고플 때쯤에는 밥을 주었고 내가 살고 있는 물속을 깨끗하게
만들어주었다. 오늘도 나는 이 좁은 물속을 돌고 돌며 그가 주
는 밥을 기다렸다. 그런데 오늘은 어째서인지 배가 고파도 밥이
오지 않았다.

분명 지금이면 입에 넣으면 들어갈 만한 작은 아이들이 나의
그의 벽 같은 것을 부술 듯이 두드리며 나를 괴롭혀야 하는데
지나치게 고요했고 지나치게 어두웠다.

그렇게 시간을 흘러 배고프다는 생각이 뇌를 지배할 때쯤
쾅- 소리와 함께 돌고래 두 친구가 서로를 못 잡아먹어서 안달
이었다. 입을 크게 벌려 뭐라도 삼키고 싶어서 안달 난 모습,
그런 모습을 나는 그때 태어나서 처음 보았다.

바닷속에서도 천적으로 만나면 그저 줄행랑을 쳤고 배가 고
프면 바닷속을 돌아다니며 물고기를 잡아먹었는데 이곳은 천적
은 없는 만큼 잡아먹을 물고기도 없다.

그렇기에 이곳에서 유일하게 헤엄치는 서로라도 잡아먹으려는
것이다.

그렇게 한참의 싸움 끝에 승패가 결정됐고 진 돌고래는 이긴

돌고래의 먹이가 되었다.

그 후로 수족관은 더러워져 갔다.

싸움에서 진 돌고래의 남은 몸 때문도 있었지만 싸움에서 진 돌고래를 이긴 돌고래만 먹지 않고 배고픔을 참지 못했던 돌고 래들도 하나둘씩 먹기 시작했기 때문이다.

그들은 그 돌고래를 먹고 소화를 시켜 똥을 쌌기에 아무도 관리하지 않는 수족관은 더러워질 수밖에 없었던 것이다.

좁은 수족관 속에서 계속 생기는 똥들은 내가 헤엄만 치면 나를 몸을 스쳐갔고 이는 상당히 불쾌했다.

나는 이곳을 나가기로 결정하였다. 배고픔을 참을 수 없었고 도저히 동족을 먹을 수 없었으며 하루빨리 이 더러운 물속에서 벗어나고 싶었다.

평소에 닫혀있는 환수기가 오늘은 안 닫혀있을 거다.

"내가 이걸 왜 알고 있지…. 아니다, 지금 이걸 생각할 때가 아니다."

좁디좁은 환수기 사이로 몸을 욱여넣으며 전진하였다. '내가 길잡이가 되어 나의 친구들과 함께 이곳을 빠져나가야 한다.'라 는 생각을 하며 환수구 속에서 헤엄쳤다.

환수기를 지나가는 건 생각보다 더 고된 일이었다.

좁은 건 물론이면 환수기 답게 숨이 쉬어지지 않을 정도로 더러운 환경이었다.

하지만 살기 위해서는 가야 한다. 앞으로 계속해서 전지하면서.

드르륵—

무슨 소리인가 하고 주변을 살피는데 뒤에서 같이 따라온 친구의 비명소리와 환수구에서는 수족관에서 보았던 역겨운 피가 흘렀다.

눈이 따갑고 잘 쉬어지지 않았던 숨이 더욱더 쉬어지지 않았으며 패닉에 빠지려던 그때 살아야 한다는 위기감이 머릿속을 감싸며 다치지 않은 나머지 친구들에게 따라오라 신호를 보내었다.

눈에서 이물감이 느껴졌다.이건 원래부터 더러웠던 환수구의 이물질도 아니고

친구의 부상으로 생긴 피 때문도 아닌 처음으로 느낀 동족의 죽음으로 인한 눈물이었다. 눈에서 무언가 나오지는 않았다. 난 돌고래니까. 하지만 뭔가 눈물이 나와야 할 것 같은 생각이 들었다.

원래 이런 상황에서는 그래왔던 것처럼 느껴지며 한참을 또 헤엄쳤다.

한참을 또 가던 도중 맨 뒤에 있는 돌고래가 신호를 보내었다.

너무 배가 고파서 더 이상 갈 수 없다며 이곳에 남겠다는 신호를 보냈다.

억지로라도 데려가려 들었지만, 우리도 무언가를 먹지 않은 탓에 누군가를 챙길 겨를이 없었다. 그리고 우리는 그 돌고래를 떠나 다시 앞을 전진해나갔다.

이제 남은 수는 셋, 뒤에 있는 두 명의 돌고래와 나다.

살아남으려 애를 쓰며 동시에 그에 대한 증오심이 생겼다.

어머니에게서 우리를 떼어냈으면 적어도 끝까지 책임을 져야 할 것 아닌가?

우리를 돌보지 않아 나의 친구들이 죽게 둔 것인지 도통 이해가 가지 않았다.

그리고 이런 생각이 들었을 때 왜인지 모르게 심장이 아파왔다.

양심에 찔렸다는 듯이, 내가 한 일이 분명히 아님에도 말이다.

정처 없이 계속 가며 지쳐가던 도중 희미한 빛이 보였다.

저게 무엇인가 하고 자세히 보던 중 깨달았다.

"출구다!"

드디어 이곳을 나갈 수 있다는 생각에 젖 먹던 힘까지 쓰며 나아갔다.

그리고 바닷물이 내 몸을 감싸았고 친구들을 보러 뒤를 도는 순간

나의 바다

하얀 베개가 나를 마주하였고 다시 주변을 둘러보고 알 수 있었다. 나는 병원에 입원되어 있는 아쿠아리움 사장이라고

"이게 뭐지 난 분명 벨라인데 왜 손과 발이…."

정신이 와리까리하다가 점차 돌아왔다. 나는 벨라가 아니다. 나는 그 수족관의 사장이었고 방금까지의 일은 전부 꿈이라는 것을 깨달았다.

"그러면 벨라는…? 나의 친구…, 아니지…. 돌고래들은 모두 어떻게 된 거지."

시간을 보니 내가 쓰러진 지 일주일이 지나있었다.

그리고 상황이 아주 좋지 않다는 것을 깨달았다.

한쪽 팔에는 링거를 그 손에는 폰을 들며 병원을 뛰쳐나갔다.

"어떡하지."

몸은 아쿠아리움으로 뇌는 패닉으로, 제대로 된 입력 없이 그저 본능 하나로 달렸다.

일주일이면 돌고래들이 충분히 굶어 죽고도 남았다.

'내가 그때 잠에 들었으면 안 되는데, 계속 정신 차렸어야 하는 건데'라는 등 스스로를 자책하며 달려가니 어느새 아쿠아리움 앞에 도착하였다.

나는 현관문에 비밀번호를 풀고 아쿠아리움으로 들어갔다.

악취가 뿜어져 나왔다. 며칠 동안 물을 갈지 못했으니 당연한 결과인가 수족관은 표현하지 못하는 색깔과 악취로 덮였으면 수족관 물 위로 시체가 둥둥 떠다니며 나의 세상, 아쿠아리움은

완전히 전멸하고 말았다.

하긴 일주일이나 자리를 비웠으면 이러지 않는 것이 더 이상했다.

그들에게 밥을 주는 사람은 오로지 나 하나뿐이니까.

살아있는 물고기만이라도 건져내야 한다는 생각에 아쿠아리움을 돌아다니던 그때,

아까 꾸던 꿈이 떠올라 곧장 돌고래가 있는 수족관으로 달려갔다.

역시 이곳도 똑같았다. 한 가지 다른 점은 피비린내가 난다는 것이었다.

재빨리 정화시스템을 키고 안을 봐보니 꿈에서 똑같은 모습이 보였다.

다른 돌고래에게 뜯긴 흔적이 보이는 변사체가 마치 풍선처럼 물 위를 둥둥 떠다녔다.

너무 역겨워서 토할 것만 같았다. 분명 순하디순한 아이들이었는데 이렇게 야만적으로 변하다니 다 내 탓이다. 내가 밥을 잘 주고 그들을 잘 케어했으면 아이들이 싸우지도 않고 죽지도 않았을 것이다. 하면서 다시 자책하는데 갑자기 드는 생각이 있었다.

"그렇다면 벨라는…?"

정화가 다 되었을 때 수족관을 뒤져봤지만 벨라는 찾을 수

없었고 돌고래의 수도 부족하였다. 그리고 나는 내가 꾼 꿈이 그저 꿈이 아니라는 사실을 깨달았다.

"환수기를 뜯어봐야겠다."

빚을 내어 환수구를 뜯어봤다. 그리고 그곳에는 돌고래 두 마리의 시체가 발견되었다. 이 절단이 되어 있는 한 마리와 썩어 문드러져서 형태만 겨우 알아볼 수 있는 돌고래 한 마리가 있었다.

피가 아직 고여있는 것을 봐선 죽은 지 얼마 되지 않은 것이 확실했다.

혹시나 하는 마음에 환수구를 더 뒤져봤지만, 더 이상의 시체는 발견되지 않았다.

안도감이 드는 동시에 의문이 찾아왔다.

"그렇다면 벨라가 살았다는 건가? 근데 이게 말이 돼? 그게 그냥 꿈이 아니라는 거잖아."

"일주일 이상을 잠들었는데 그사이의 내가 유체이탈이라도 했다는 말인가?"

단순히 신의 장난인 걸까? 아니면 신이 내게 마지막으로 그들에게 용서를 구할 수 있도록 그들을 탈출할 수 있게 기회를 주신 걸까.

좀 더 돈을 들여 살아있는 물고기들을 모두 바다에 풀어주고 수족관을 완전히 폐쇄 하였다.

그리고 나는 엄마가 일하시던 일터인 바다에서 새우 과자를 뜯으며 술을 마셨다. 나의 꿈이 이렇게 무너졌으니 누구라도 병 나발을 불지 않을 사람이 있을까.

바다를 보며 나는 끝을 책임지지 못 했던 동물들에 대한 죄 책감과 나의 세상인 아쿠아리움에 대한 회의를 느꼈다.

폐쇄한 아쿠아리움과 꿈에 대한 생각에 잠기며 남은 소주를 원샷하였고 소주병과 과자 봉투를 잘 분리수거해서 버렸다.

그리고 신고 있던 운동화를 벗어 던지고 발에 물을 담갔다.

"차갑다."

그렇게 5분을 넘게 발을 담그고 있으니 그 주변이 나의 온도 로 인해 따뜻해졌다.

그리고 한 걸음 한 걸음 걸어 나갔다.

"따뜻하다."

계속 계속 걸어나가니 물은 다리를 덮은 지 오래였고 흉상을 덮어가고 있었으며 발가락 사이로는 모래가 다리 사이로는 해 초가 나를 감싸 안았다.

나에게는 취미가 두 가지 있는데 하나는 예상이 가겠지만 해 양 관련 책 읽기이다. 그리고 또 하나는 좀 뜬금없을 수 있는데 영화 보기다.

나의 바다

나는 영화를 다 보고 나면 항상 허전한 기분을 느꼈다.

어두운 곳에서 빛나는 화면을 보며 이입하는 마치 내가 그곳에 있다고 느낀다.

하지만 영화는 끝나고 불이 켜지면 이야기는 이게 끝이며 이제 다들 각자 현실 속으로 가라는 듯이 번쩍 정신이 든다.

그곳에서의 나의 감정은 영화관을 나가서도 가슴 깊은 곳에서 헤엄치고 있는데도 말이다.

이는 바다도 동일하였다.

"아들~수영 다 했으면 이제 가자!"

"엥 좀만 더 놀다 가면 안 돼?"

"밤이 어두워졌잖아. 지금 바다에 있는 건 너무 위험해."

"흠 알겠어요~"

쉬는 날 물안경을 쓰고 물속을 들여다보고 있으면 마치 나도 물고기가 된 것만 같은 기분을 느끼지만 밤이 오고 어두워지며 달빛이 바다를 비추면 집으로 돌아가야 했다.

그곳에서 즐거움 느꼈지만, 밤이 되면 항상 아쉬워하며 집에 돌아갔었다.

물속에서 나오면 집으로 돌아가 다시 책을 읽고 있으면 그림의 떡 같다는 생각이 든다. 분명 내 눈앞에 있었고 그곳에 있었던 것 같은데 한순간에 다른 차원의 사람이 된다.

나는 바다를 사랑했고 그 안의 살고 있는 것들도 사랑했고 환경 속에서 피어나는 무언가들을 보며 사랑스러움을 느꼈다.

우리가 죽으면 땅에 묻히는 이유가 죽은 뒤 다시 고향으로 들어간다는 말이 있지 않나? 나도 지금 그런 것을 하는 것이다.

나의 고향이고 내가 진짜 태어났다는 것을 느끼게 해주고 내가 사랑하는 이들이 있는 곳으로 나는 몸을 던졌다.

입에서는 물거품이 나왔고 물안경을 쓰지 않은 눈은 매우 따가웠다.

남들이 보면 내가 힘든 일로 인해 최후의 결정을 하는 것처럼 보일 것이다.

틀린 말은 아니다. 사실상 맞으니까. 하지만 난 이제 힘든 것이 아무것도 없다.

오히려 속이 시원했고 폐를 가득 채우는 바닷물이 아늑했다.

나는 지금 진짜 아쿠아리움으로 들어간다.

돈 주고 살 수 없는 진귀한 풍경들을 보며 이곳에서 눈을 감은 사람들은 단순히 조심성 없고 괜한 위험성만을 추구하는 자들이었겠지만 나는 그렇지 않았다.

땅속에서 생을 마감하는 것도 물론 좋겠지.

하지만 난 나에게 다시 생명을 불어넣어 준 이곳에서 잠길 것이고 나의 변사체를 본 물고기들이 나를 쪼아대며 나를 먹이로 생각하며 먹을 것이다.

나의 바다

난 그렇게 그들의 세포 하나하나가 되어 이 바닷속에 합류할 것이다.

나의 이야기를 읽은 사람들은 나를 이상하게 볼지도 모르겠다는 생각이 든다.

어린 시절 스치듯이 보던 잡지 하나로 세운 목표나 결국 끝은 겉만 번지르르한 자살이니 그냥 꿈만 쫓다가 죽은 사람처럼 보일 것 같다.

하지만 나는 그저 내 행복을 찾고 그것을 추구해나간 것뿐이다.

모든 인간은 행복을 추고 하며 사는 것 아니겠는가.

나 역시 지금 그런 것이다. 그러니 괜한 동정심을 넣어두고 나처럼 진정한 행복을 찾고 그 행복 속에서 어떻게 해야 할지에 대해 생각해 보았으면 좋겠다.

나의 바다

온 작가

<Marigold>

Marigold

그날은 정말 무모한 하루였다. 온종일 공원에서 누워있질 않나 사지도 않을 과일을 보러 다니질 않나 그러다 언제나 그렇듯 10시에 술집에서 위스키를 아마 한잔 아니 두잔⋯. 정말 아무것도 기억이 안 났다. 그나마 기억이 나는 건 검은 중절모의 남자가 몽골로 배낭여행을 간다면 돈을 주겠다고 뜬금없는 계약서를 내민 그것뿐 그리고 내가 그 계약을 수락한 것⋯. 정말 무모함을 제대로 보여주는 하루였다. 그리고 난 단 3일 만에 모든 준비를 마쳐야 했고, 결국 몽골에 가서 여행자 신세로 허름하지만, 하루 묵기엔 나쁘지 않은 그런 숙소에 들어섰다.

문 여는 소리마저 낡아빠진 오두막은 손님이 왔음에도 나오는 이 하나 없었다. 형편없지만 내가 이런 간단한 서비스를 따질 처지는 아니었다. 미리 예약해둔 102호 방에 들어갔다. 딱 보기에는 예전에 다니던 학교의 기숙사와 비슷한 형태였다. 예약 당시에는 4인용 방이지만 실제 투숙객은 한 명뿐인 방이라 소개받은 곳이었다. 뭐, 사람이 왜 없는진 뻔했다. 그 한 명이 장기 투숙자에 정신병자거나 아님 괴짜겠지 정신병자는 병원으로 이미 쫓겨났을 테니깐. 하루 머물 건데 괴짜 한 명은 상관이 아니었다. 뭐 나도 괴짜긴 하지만⋯.

안내원도 없어서 직접 키를 가지고 2층에 있는 방에 갔다. 낡은 나무판자들은 끼익하며 소리를 질러댔고 확실히 분위기는 음습하기 그지없었다. 그리고 방 앞, 다행히 거미줄은 없었다. 그리고 방문이 열렸다. 하지만 내가 열진 않았다. 안에서 열어준 거지. 내 하루 간의 룸메이트는 긴 탈색 머리에 삐뚤게 군복을 입은 여자였다. 여자랑 룸메이트라는 건 처음 듣는데… 당황스러움이 표정으로 나타났다. 그리고 여자는 표정이 실시간으로 썩어들어 가는 게 보였다. 물론 여자 혼자 지내는 4인용 방에 남자를 들인 게 기분 나쁘긴 할 수 있다. 비록 단 하루 비바람을 피하기 위한 것이라도…. 안 그래도 인상이 순하진 않은데 찡그리니 더 무서웠다. 여자는 날 뚫어지라 쳐다만 봤고 결국 난 짐도 내려두지 못한 채 서서 수색이나 당하는 신세가 됐다.

"뭐야 재미없네!"

누가 봐도 시시하다는 게 느껴지는 표정에 약간 자존심이 상했지만 참아야지 여기까지 와서 경찰을 보고 싶진 않았다. 지금 자존심 세울 처지도 아니고 말이야. 그리고 이 여자는 내가 한국인인 걸 아는지 모르는지 대놓고 한국어로 욕을 해댔다. 참 배짱 하나는 대단하다는 게 느껴졌다.

그렇게 방에 들어갔다. 사실 들어가긴 싫었지만 어쩔 수 있나 내가 지금 호텔을 잡을만한 돈을 들고 온 것도 아니고 노숙할 순 없으니 그냥 정말 어쩔 수 없었다. 문을 여니 그 여자는 철제 이층침대의 오른쪽 위에서 방에 남자 하나 들어왔다곤 느껴

지지도 않는 듯 누워 잘 터지지도 않는 인터넷 잡으며 핸드폰
이나 만지작거렸다. 마치 제집인 듯 편안하게 말이다! 그렇지만
나도 여기서 혼자만의 기 싸움을 하며 아무렇지 않게 반대편
침대 아래 칸에 짐을 풀었다. 아주 소란스럽게 꼭 제집인 마냥
편하게 말이다. 여자는 결국 신경 쓰였는지 말을 걸었다. 난 내
심 나만의 기 싸움에서 이긴 듯 기분이 좋았다.

"어이 거기 조용히 좀 하지?"

"짐 푸는 건데 좀 참으시죠"

솔직히 무서웠다. 하지만 그래도 대답은 잘했었다. 오늘 밤은
분위기가 험악해도 내일부턴 호텔을 예약해뒀기 때문에 사실
이 여자에게서 내 인상은 전혀 정말 상관이 없었다. 그래서 그
런가, 약간 당당해졌다. 아니 겁이 없어졌다. 사실은 당장이라도
얻어터져서 몸 성히 나갈 수 있을지도 모르는 상황이란 것에
자각도 못 한 채 말이다. 조금 더 생각해 보자면 여자는 군화를
신고 있으니 발로 차인다면 어디 하나 부러질 수도 있었다. 화
가 난 건지 말이 한참 없던 여자가 다시 입을 열었다.

"이름은."

"선우 아니 김선우요"

"난 방랑자 윤 씨 하룻밤이지만 잘 부탁한다."

"아… 예…."

저땐 저 사람은 진짜라는 생각이 들었다. 난 그냥 괴짜 코스
프레였던 게 아니었을까…? 과대평가라 비판하는 사람들은 지

금 한여름 날씨에 군복 바지에 군화를 신은 여자가 처음부터 반말을 해대며 날 평가하는 걸 제대로 봐야 한다. 이 상황이라면 누구든 그녀가 미쳤다고 할 것이다. 그 후로 우린 아무 말도 없이 바쁘게 잠자리에 들었다.

아침에 일어나서부터 쓸데없는 잡생각만 하며 간단하게 챙겨온 빵 하나를 먹고 나갈 준비를 했다. 그 방랑자는 나갔는지 보이지도 않았다. 조금도 서운하거나 정들었다거나 하진 않았지만 그래도 더는 못 보지 않을까 싶어 괜히 한두 번 더 방 주변을 서성이고 다녔다. 그러다 지금 내가 뭐 하나 싶어 나오긴 했다.
　솔직히 아무 미련도 없다기엔 누가 봐도 이미 정들어서 배웅해주기라도 바라는 듯하게 행동 중이긴 하다.
　결국, 그 허름한 숙소에서는 나왔다. 이젠 여행객도 아닌 도박 때문에 당장 울란바토르로 가야 하는 신세가 되었다. 엄밀히 말하자면 도박이지 이건 그저 내기다. 조건이 압도적으로 나에게 유리한 그런 내기 그리고 난 지금 그 내기에서 이기기 위해 히치하이킹을 하는 중이다. 지금은 차도 안 다니는 도로에다 대고 말이다. 정말 처량한 신세 같아 보이지만 난 그렇게 생각하지 않는다. 결국, 돌아가면 날 반기는 돈더미가 있을 테니깐…! 이라며 허망한 상상이나 하다 보니 저 멀리서 빠르게 달려오는 트럭이 보였다. 팔이 저려 올 때까지 트럭을 향해 손을 흔들었다. 정말 간절하게 누가 봐도 태워 달라는 듯 흔들었다. 그리고 트럭은 내 앞에 멈춰 섰다. 살았다! 창문이 내려가고 안에선 탈색 머리에…. 탈색 머리?

"타."

아…. 그 괴짜 룸메이트였다. 이 트럭은 또 어디서 나왔는지…. 장기 투숙이 우연히 오늘 끝난 것인지 궁금한 게 많았지만, 꾹 다물고 정말 딱 하나만 물어봤다.

"어디로 가는데요."

"너 가는 데로."

"어딘지 알아요?"

"아니?"

뭐지 이 사람 진짜 미친 사람인데 내가 잘못 걸린 건가. 당황스러움에 어버버 거리며 정말 모호한 표정으로 트럭을 바라만 봤다. 그 몇 초 사이에 머리에선 수많은 내 암울한 미래와 희망적인 미래가 그려졌고 그 중에선 아주…. 아주 암울하게 장기매매로 끌려가는 엔딩도 나왔다. 세상에…. 그럼 저 트럭을 타면 죽겠지만 안 타도 죽는 건 안 바뀌니 일단 적은 수의 희망에 내 목숨을 걸었다. 처참히 타국에서 생을 마감하는 거 괜찮지, 라는 안일한 생각과 함께 트럭에 올라탔다.

"어디로 가는데."

"울란바토르요."

"그럼 어느 방향으로 가야 하는지 찾아봐."

세상에 지금 내 손에 현재 위치를 표시해둔 지도 하나가 툭

떨어졌다. 이 여자는 가는 길도 모르고, 내비게이션도 없고, 애초에 운전면허가 없을 수도 있다. 방금 장기매매가 아니라 교통사고로 사망하는 게 더 현실성이 있었다. 아무리 내 꿈이 단명이래도 이 정도는 아니었는데…. 하지만 나도 다를 것 없어서 결국 난 길이나 찾아줘야 했다.

그렇게 나는 지금 가는 길을 모두 그려가며 친절히 3시간 동안 길 안내를 해주었다. 어렸을 때 경험이 많은 게 이렇게 또 쓰였다. 그래도 나름 몽골의 길은 낭만 있었다. 끝이 없이 펼쳐진 초원 그리고 그 위에 서울에선 보지 못하는 진짜 잔디, 가끔 가다 보면 게르도 보이고 자유롭게 풀어진 양 떼와 양몰이 개도 보였고, 뛰어노는 아이들까지 보였다. 그래도 내기 하나에 이 정도면 나름 힐링이었다.

"야…. 야 길."

"오른쪽으로."

시도 때도 없이 이 여자가 길을 물어보는 건 좀 귀찮았다. 그렇게 풍경을 보며, 지나온 길을 표시하며 이동한 지 정확히 30분 뒤 차 연료가 떨어졌다. 세상에 맙소사, 난 가능하다면 지금 자리에 주저앉아서 펑펑 울든 화를 내든 하고 싶었다. 차를 타고 와도 이렇게 힘든데 이젠 차를 끌고 가든 다시 히치하이킹을 하든 그냥 걸어가든 최악의 선택지만 남았다. 이렇게 4일 안에 공항에 가야 한다는 게 제일 최악이었다.

"걸어가야겠네."

"아니 지금 그게 할 소리예요?"

"그럼 뭐 어떡해."

"아니···. 예 그럽시다."

가혹하다···. 너무 가혹해 낡아빠진 지도에 여기가 어딘지 표시를 하는 것도 힘든데 이렇게 무작정 걸어야 하고 거기다 길을 잃으면 생판 모르는 타국에서 처참한 최후···. 아니 아니다 더 긍정적으로 생각해야 한다. 특히 이런 최악의 상황에선 말이다.

그렇게 나는 여러 생각에 생각을 하며 여자를 따라 걸어갔다. 아무래도 내가 지금 지도를 볼 상황이 아니기 때문이다. 걷고 걷다 보니 다리의 근육이 점점 조여왔고, 종아리에 힘이 들어가 금방이라도 경련이 일어날 듯했다. 그래도 아직 다리가 풀리진 않아 갈 수 있는 데까지 걸었다.

"일단 짐은 간단히 챙겼으니깐 여기서 하루는 자자."

아···. 벌써 해가 졌다. 얼마나 왔지 이제 3일 남았는데 그럼 2일 안에는 도착할 수 있을까? 또 머릿속이 빠르게 굴러갔다. 부정적인 쪽으로는 아주 잘만 돌아갔다.

"아."

이마에 차가운 무언가가 닿았다. 찌릿한 느낌 한 번에 잡생각이 다 사라졌다. 아, 나 지금 뭐 하는 거냐 뭔가 이성을 찾은 느낌 이런 부정적인 생각 해봤자 사실 아무 쓸모 없었다. 어떻게 갈지를 고민해야지 저 태연한 여자한테 처음 고마워졌다. 살아서 한국에 간다면 밥 한번 사야겠다. 저 여자도 한국에 가는진 모르겠지만 말이다.

"뭐가 그렇게 재밌냐."

"그쪽은 한국으로 가는 거예요?"

"당연하지 그럼 이 난 몽골에서 박혀있게?"

"아니 그런 말은 아니고 그냥 궁금했죠."

"별걸 다 궁금해한다."

"그럴 수도 있죠. 뭐."

미리 준비해둔 건가? 아래를 보니 침낭 2개가 있었다. 난 챙겨온 게 고작 먹고 마실 것뿐인데…. 참 생각도 없이 왔구나 싶어 또 반성했다. 고맙게도 저 여자의 침낭이 2개인 덕에 오늘 밤은 그래도 춥지 않게 보내겠구나. 이렇게 생각하면 신세 진 것도 참 많았다. 뷔페로 데려가야겠다….

오늘도 그 강한 햇살을 보며 일어났다. 여자는 아직 자는 중이고 난 일어나서 가방에서 간단한 음식을 꺼내러 가려 했다. 몸을 일으킨 순간 여자가 눈을 번쩍 떠서 놀라 다시 앉았지만…. 일어난 김에 같이 아침이나 먹자 생각하며 다시 일어났다. 바로 여자도 날 따라 일어섰다. 아침잠이 없나? 신기하네

"아침 뭐야?"

"비빔밥이요."

"오 오랜만의 한식!"

"은근 먹을 만하니깐 먹어봐요."

여자의 손에 설명서와 전투용 비빔밥을 하나 쥐여줬다. 생존용으론 최고의 식품이니깐 많이 챙겨왔다. 그래서 둘이 3일쯤은 견딜 수 있을 만큼은 챙겨왔다. 그렇게 정말 먹을 만은 한 비빔밥을 다 먹고 다시 길을 떠났다. 지금 지도를 보니 이미 반 정도는 와 있었다. 이 정도면 걸어서 2일이면 도착할 거리였다.

"가자."

"근데 그쪽은 계속 반말로 대화할 예정인가요."

"응 미국식."

"예…. 그러세요."

오늘은 날이 좋아서 어제만큼 덥지는 않았다. 어제만 생각하면 정말 아직도 땀이 흐르는 느낌이었다. 그 정신 없는 가운데 또 더운 건 제대로 느껴져서 죽을 맛이었다. 오늘도 여자는 군복과 군화에 상의만 민소매 차림인데도 거뜬하다는 듯 산도 오르고 들판도 뛰어다녔다. 진짜 안 힘든 건지 내 가방도 들어주려 하질 않나 생각해 보면 내가 오히려 여자 같았다. 선천적 차이는 무슨, 노력하면 여자가 남자도 이기는데.

"잠깐 쉴까?"

"괜찮아요."

"진짜?"

"네."

난 이 여자가 말 거는 게 가장 힘들긴 하다. 아마 내 체력이 빨리 동난 것도 대화를 해서가 아닐까 싶었다. 하지만 뭐 이번 엔 받은 게 많으니 다 답은 해줬다. 사실 무시하고 싶은 위기가 많긴 했다. 이렇게 대화하다 보니 저 여자에 대해서도 꽤 알았 다. 윤 씨가 진짜 성이고, 원래 자주 이런 즉흥 여행을 다녀서 침낭이 있는 거고 뭐 이런 사소한 이야기들을 많이 알았다.

듣다 보면 은근 공통점이 많았다. 부모님이 일찍 돌아가셨다 든가 친구가 거의 없다든가 이런 것들 말이다. 사실 암울해 보 여도 가장 동질감 들기 좋은 주제 아닌가 그래서 그런가? 조금 친해진 느낌이었다.

다시 또 밤이 드리워 앞이 잘 안 보일 때쯤 침낭을 깔고 오 늘은 불도 지폈다. 진지하고 진실한 이야기 하기 좋은 분위기로 바뀌자 서로 진실게임 하듯 여러 개인사를 털어두었다. 울란바 토르에 하루만 더 걸으면 도착인데 시원 씁쓸한 기분이 느껴졌 고 여자도 마찬가지였다. 정이 든 건가? 이제 친구처럼 느껴지 는 건가 오묘한 감성들이 하나둘 올라왔고 분위기가 이상해질 때쯤 침낭에 들어가 잠을 청했다. 몽골의 밤이 조금 더워진 듯 했다.

아마 오늘이 마지막 날일 것이다. 내 체력이 따른다면야…. 다시 또 걸었다. 그렇게 오늘은 말없이 걸었다. 중간에 잠깐 소 나기가 왔고, 숨을 곳도 없길래 적당히 우비를 꺼내 입고 걸었다. 오늘 저 여자의 기분이 별로인가 아주 얌전하게 걸었다. 난 오늘 그동안의 근육통이 몰아서 온 참이라 조용한 게 좋았지만, 여자의 행동은 이상하게 느껴지기에 아주 좋았다. 말 걸어볼까 싶다가도 여러 이유로 마음속에서만 기각을 당해 결국 반나절 내내 말없이 걸었다.

난 체력이 결국 항복선언을 했고 다리에 힘이 풀렸다. 여자는 주저앉는 소리에 뒤를 돌아봤고 아무 말 없이 마침 운 좋게 지나가던 마차를 얻어타 2시간 거리를 갔다. 미안하다고 말을 꺼내고 싶긴 했지만, 여자의 기분이 영 별로여서 또 조용히 있었다. 이젠 내가 말을 꺼내고 싶어질 때까지 우린 조용히 이동했다. 여자의 표정은 실시간으로 희망과 절망을 오갔고 가끔 의미 없이 가방을 뒤적거리기도 했다. 난 아직 여자의 행동을 이해하지 못했다. 나보다 똑똑한 사람은 알겠지.

그렇게 오늘은 내 건강상의 이유로 빨리 잠자리에 들었다. 하루를 허무하게 날린 느낌이었다. 다행히 내일 도착하면 다음 날 오전 11시 비행기로 돌아갈 수 있었다.

지금 들고 온 2개의 시계 중 오늘 찬 낡아 가죽이 다 벗겨진 시계는 소나기로 제 명을 다하고 갔다. 차마 버리진 못했고 가방에 넣어줬다. 식량은 부족하지 않아서 다행이었다. 그렇게 어떻게든 애써서 잠자리에 들었다.

아침에 자연스레 눈을 뜨니 여자가 날 내려다보고 있었다. 너무 놀라 소리 지를 뻔했지만, 여자가 내 입을 막았다.

"가자 오늘은 도착해야지."

진짜 마지막 날 어느새 지도에는 빨간색 줄로 울란바토르까지 걸어온 길이 한 뼘만큼 길어졌고, 오늘은 진짜 도착이라는 게 새삼 느껴졌다. 오늘 갈 길은 길지 않아서 희망을 품고 출발했다. 그래도 해결되긴 하는구나…. 이젠 돌아가서 돈이고 뭐고 다시 침대에 누워 자는 게 목표로 변했다. 여자는 다시 활기를 찾아 또 말을 걸어왔다.

모든 게 다 평화로웠고 당연히 안전하게 울란바토르에 들어섰다.

울란바토르에 가까워질수록 점점 주변에 건물이 생겼고 점점 도시처럼 변해가는 풍경이 날 안도하게 만들어줬다.

"이제 집 가겠네."

"응."

"집 가면 뭐 할 거야?"

"그냥 침대에 누워있을 건데."

"서운하진 않고?"

"?뭐가."

"날 못 만나는 거?"

"어차피 한국으로 가는 거라며."

"맞지."

적당한 숙소를 잡고 오늘 하루는 여행객처럼 여기저기를 돌아다녔다. 여자는 돌아다닐 것 같았지만 의외로 누워만 있었다. 그래도 고마운 사람이라 그런지 선물 하나 사서 주려고 이것저것 보다가 들어가니 여자는 이미 자고 있었고 나도 다른 방으로 가서 잠자리에 들었다. 선물을 못 준 건 아쉽지만 공항도 같이 갈 건데 그때 줘야지 라고 생각했고 꿈에선 어딘가 더 멀쩡한 모습의 여자가 나왔다, 자세히 기억은 안 나도 여자에게 손을 뻗었을 때 잠에서 깬 건 확실했다. 눈을 뜨자 여자는 오늘도 일찍 일어나 내 방에 있었고 이미 준비도 끝냈는지 앉아 방금 일어난 날 빤히 쳐다만 봤다.

"가야지 오늘은 늦으면 큰일이잖아."

"가야죠."

딱히 챙길 건 없지만 있는 생필품이라도 하나하나 챙겨 담았다. 고작 며칠 여행이라고 온몸은 만신창이였다. 하지만 확실히 정신 하나는 맑아졌다. 더 살아보고 싶은 느낌? 머릿속에 상당히 만족스러운 여행으로 남지 않을까 예상됐다.

그렇게 마지막 여정을 시작했다. 공항까지 가는 길은 지금까지와 달랐다. 더 사람이 많았고, 더 활기찼다. 가끔가다 인사를 받기도 하는 확실한 사람 사는 곳이었다.

가장 자유로운 여행을 했음에도 약간의 해방감이 느껴졌다. 시간에 쫓기는 기분이 사라져서인가 모순적인 생각이지만 아마

비행기에서 한숨 푹 자고 나면 또 의미를 알 수 있을지도 모른다.

"몇 시 비행기?"

"12시요."

"나도."

"자리는?"

"왜 옆에 앉고 싶어?"

"아니거든요."

공항에 도착하고 12시 전까지는 여자와 시답잖은 농담과 지금까지 어떻게 살아왔는지 가볍게 이야기를 나눴다. 돌아간다는 게 전혀 실감 나진 않았지만, 또 막상 모국의 땅을 밟으면 어떨진 모르겠다. 우린 12시에 비행기에 탑승했다. 좌석은 우연이지만 앞뒤로 잡혔지만 우린 아무 이야기도 하지 않고 잠을 자거나 영화만 봤다. 한참 시간이 흐르고 착륙 안내방송이 들렸다. 그리고 한국에 드디어 도착했다. 중절모 남자가 공항에 있겠다 하긴 했지만, 그 남자가 정말 거액의 돈을 안겨줄지는 미지수였다.

짐을 찾고 나오자 멀리서부터 중절모 남자가 보였다. 특별히 눈에 띄는 의상은 아니지만, 독보적인 체격 덕에 상당히 눈에 띄었다. 윤 씨는 갑자기 사라진 지 오래였고 난 주변을 챙길 생각도 없이 일단 남자에게 다가갔다. 남자를 툭툭 쳐서 부르니 남자는 의외라는 표정으로 날 쳐다봤다. 아마 살아 돌아온 것에 대한 놀라움이겠지? 그리곤 급하게 날 차에 가자며 끌었고, 난 끌리듯 걸어서 밖에 주차되어있던 검은 차에 타게 되었다. 상황 파악은 하나도 되지 않았지만, 그 남자의 힘이 굉장히 강했기 때문에 벗어날 순 없었다. 차 안에는 똑같은 복장의 남자가 2명 더 있었다. 그리고 난 더 이상의 기억이 없다. 마취당해 눈 떠보니 폐공장이었다. 그것도 밧줄로 꽁꽁 묶인 채로 말이다. 드라마도 소설도 아닌 현실에서 이게 일어날 수 있는 일이었나 싶었고 정말 아무 생각도 안 들었다.

그리고 아까 차에서 본 남자들과 몽골 여행을 제안한 남자 그리고 그 옆엔 정말 황당하게도 윤 씨가 있었다. 세상에 이젠 더 놀랄 힘도 없었다. 세상에 믿을 사람 하나 없다더니 몸소 체험까지 당했다.

"마지막 여행은 재밌었나?"

"방금 다 쓰레기 같은 기억으로 변했는데."

"안타깝네."

"누구누구 때문에 추억이 하나 사라졌네."

곧 죽을 운명인 걸 직감적으로 느꼈다. 내가 드라마를 너무 많이 봐서인지 몰라도 난 지금 잊고 있던 부모의 빚 때문에 장기매매를 당할 거는 생각만 들었다. 상당히 그럴법했다. 실제로 잊고 있던 부모의 빚이 있으니깐 그래서 막 나가기로 했다. 윤 씨를 보니 누가 봐도 상당한 죄책감에 시달리는 표정이어서 더 쏘아붙였다.

"넌 이제 부모의 사주로 있는 돈 다 뺏고 죽는 거야 알겠지?"

"나 부모 없는데."

"있더라 네 호적상 부모."

"그래서 어쩌려고.

"다 알 만한 거."

아 장기매매 현장을 실제로 보게 되었다. 엄밀히 말하면 장기매매 직전 장기매매될 당사자의 입장이다. 그렇게 나는 임시감옥처럼 좁은 방에 던져졌고 얼마 뒤에 팔릴 예정이 됐다. 상당히 절망적이고 이제야 좀 살아가려니 이렇게 방해해주는 신이 미웠다. 운명이고 신이고 일단 있다면 이럴 때 좀 도와주지 왜 이렇게 모든 건 나에게만 가혹할까 원망이 치솟았다.

그렇게 한 치 앞도 보이지 않은 싸늘한 밤이 되었다. 당장 내일 죽을 수도 있는 운명에 잠이 전혀 오지 않았다. 바람 부는 소리조차 매섭고 쌀쌀했다. 내가 할 수 있는 게 아무것도 없어서인지 무력감도 몰려왔고 한 번에 감당하기 어려운 다양한 종류의 우울함이 점점 날 잠식시키는 기분이었다.

그때 누군가의 발소리가 들렸다. 저 아래서부터 모든 감옥을 다 살펴보며 올라오는 발소리였다. 상당히 불안하고 쫓기는 듯 긴장한 발소리가 울려 퍼졌다. 사실상 이 감옥 층에 갇힌 사람은 나뿐이었다. 근데 왜 이렇게 여기저기를 다 살펴보는지 이해가 가진 않았다. 그리고 내가 있는 층으로 올라온 발소리는 내 앞에 서서 손전등을 내 쪽으로 비췄다.

"찾았다."

윤 씨였다. 왜 날 찾았는진 모르겠지만 지금은 얼굴도 보기 싫었다. 난 정신도 신체도 건강해진 상태로 끌려오게 유도한 윤 씨가 가장 최악이라 생각한다.

그래서 가장 얄밉고 가장 보기 싫었는데 이렇게 굳이 찾아와 줘서 더 화가 치밀었다.

"가자."

"어딜."

"일단 나가자."

"왜."

"난 그쪽의 행복을 위해 내 행복을 포기할 수 있어서."

"무슨 말이야."

"탈출시켜준다고."

이 사람은 지금 자기가 무슨 짓을 하고 있는지 알까 봐 지금 날 탈출시키다 걸리면 본인도 같이 장기매매 당할 텐데 지금 이게 무슨 짓일까…. 도저히 이해가 가지 않았다,

"목숨이 그렇게 가벼워?"

"아니."

"그럼 왜 이러는데."

"있어 그런 게."

목소리가 조금 상기되었다. 살다 보니 이 여자를 걱정까지 하는구나.

헛웃음이 나왔다. 길지 않은 인생에서 이제야 살 생각이 들었는데 지금 목숨이 아깝지 않아졌다. 역시 사랑은 재앙이었다. 언제부터인지도 모르고 어느샌가 예고 없이 스며들어오는 재앙. 그게 아니라면 이 정도로 충동적인 행동을 할 수 있을 리가 없지

"…일단 풀어줄게."

"그럼 그쪽이 곤란해지잖아."

"괜찮아."

"전혀."

난 윤 씨가 손에 쥐고 있던 열쇠를 가져갔다. 그리곤 수갑을 풀고 족쇄를 풀고 감옥에서 나왔다. 내 손도 윤 씨의 손도 덜덜 떨렸다. 이유는 모르지만, 그냥 그랬다. 둘 다 만신창이 얼굴에 옷도 걸레나 다름없었다. 둘 다 하나도 완벽하지 않았다. 하지만 그래도 우린 기적을 만들어냈다. 지금 거리로 뛰쳐나간 것만 해도 꽤 멋지지 않나. 그렇게 한참을 달리고 달려서 더 공장이 보이지 않을 때 우린 주저앉아 한참 숨을 몰아쉬었다.

"이제 어떡하지."

"떠나야지. 처음부터 다시 알아가는 거야."

"어떻게."

"이름은?"

"아음…, 윤아음."

"난 김선우 잘 부탁해."

"나도."

Marigold

민예원 대표 작가

<통속의 낭만>
<종언의 예고>

172

통속의 낭만

꿈속의 일렁이는 불빛에 다다랐을 때 눈을 떴다. 익숙한 누런 색의 천장이 눈에 들어왔다. 찌뿌둥한 몸에 이리저리 뒤척이며 기지개를 켰다. 보드라운 이불과 인형의 향기가 포근해 꼭 끌어 안았다. 여느 때와 다를 바 없는 지루하고 반복적인 일상이 또 굴러간다.

오후의 햇살이 커튼 사이로 옅게 들어왔다. 해야 할 것들이 있다는 사실에 귀찮음이 몰려와 인형에 얼굴을 파묻었다. 다시 금 꿈속으로 들어가고 싶은 마음에 눈을 감았지만, 너무 많이 잠든 탓인지 오늘은 꿈속을 더 여행할 기회는 없었다. 하는 수 없이 옆에 놓인 핸드폰을 들여다봤다. 그렇게 아무 생각 없이 인터넷으로 시간을 허비하고 있던 때에 이상함을 느꼈다. 인터 넷의 타임라인이 전부 다 어제 이후로 올라오는 것들이 없고, 주변이 평소보다 조용했다. 평일의 이른 오후이니 그저 착각이 고 기분 탓이라고 생각하며 대수롭지 않게 넘겼다.

그렇게 늘 그랬던 것처럼 자리에 앉아 의미라곤 없는 인터넷 과 게임을 하며 늘 하던 대로 시간을 허비하다 보니 금세 밤은 찾아왔다. 평소보다 고요한 밤이었다. 간단하게 즉석 컵밥을 돌 려먹으며 애니메이션을 보았지만, 이 지루한 일상 속에서 즐거 움을 잃은 지 오래였다. 옆에 놓인 핸드폰을 들어 다시 인터넷 에 접속했다. 역시, 기분 탓도 착각도 아닌, 확실하게 모든 것이

어제에서 멈춰있다. 앉아 있던 자리를 박차고 일어나 창문을 가린 커튼을 걷었다. 평일의 오후 8시라고 하기에는 고요한 시간이었다. 원래도 좀 구린 동네라서 조용하긴 하지만, 원래 이렇게나 조용했나? 후드집업을 뒤집어쓰고 대충 슬리퍼를 질질 끌며 문밖을 나섰다.

쌀쌀한 공기가 살갗을 스쳐 갔다. 고요한 거리 위로 질질 끌리는 슬리퍼 소리만이 들렸다. 지나가는 상가마다 불은 켜져 있지만, 그 누구도 자리에 있지 않았다. 그야말로 인간 증발이었다. 길 위를 걷고 있는 사람은 오직 나 하나뿐이다. 그 무엇도 오가지 않는 차도 위를 천천히 걸었다. 어스름한 새벽을 걷는듯한 느낌이었지만 평소 같지 않은 분위기에 기묘함이 녹아 들어 있었다.

우선은 집으로 돌아가자. 왔던 길을 천천히 되짚으며 집으로 돌아갔다. 조금 이른 시간이지만 많아지는 생각들에 침대에 일찍 몸을 뉘었다. 사람만 없어졌을 뿐 모든 건 평범한 일상 그대로다. 인터넷도 여전히 잘되고 전기와 수도시설도 멀쩡하다. 내가 매 순간 바라왔던, 언젠가 꼭 모든 사람이 사라지기를 원해 왔다고 나를 제외한 다른 모두가 사라졌다는 건 이상한 일이지 않은가? 나를 포함한 모두가 사라지길 바랐기에, 매일같이 같은 인간들을 증오하고 바깥과 단절하며 살았었는데. 어찌 된 일인진 모르겠지만 정말 너무 한 것 아닌가? 물론, 내가 그렇게 모든 인간이 사라지기를 매일 저주하듯이 빌었던 이 기도가 기적적으로 닿은 건 아닐 테겠지. 인간 증발이라…. 왜 갑자기 나를 제외한 모두가 사라졌을까. 그저 꿈이라고 치부하기에는 너무도 생생하다. 그래도 내가 그렇게 원하던 일이 이렇게 일어났으니 다시 느낄 수 없을 이 순간을 즐겨야지. 늘 답답하기만 하던 일상생활 속에서의 새로운 해방감이었다.

평소와 달리 눈이 빨리 떠졌다. 이리저리 뒹굴다 시계를 보았을 때 시침은 오전 6시를 가리키고 있었다. 평소보다 몇 배는 더 들뜨는 날이다. 이유야 간단하지 않은가? 이 세상의 모든 사람이 갑자기 다 사라져버렸으니 떠오르는 생각들을 실현할 수 있다는 말이다. 가볍게 작은 가방을 메고 운동화를 구겨 신고선 현관문을 박차고 나갔다. 지평선에서 태양이 아른거리는 시간이다. 시원한 초 아침의 공기가 기분 좋게 느껴졌다. 차도, 사람도 없는 고요한 이 거리가 꽤 기분 좋았다. 누군가의 시선을 신경 쓰지 않아도 되고 눈치 볼 것도 없이 마음껏 전부 하고 싶은 대로 해도 괜찮은 것이다. 순간 벅차오르는 감정에 크게 소리 내 웃으며 차도 위를 달렸다. 이런 해방감을 느껴보았던 적이 언제인지. 공기를 가로지르며 느껴지는 찬 바람에 불안이 날아가는 듯했다. 이런 풍경들이 내가 원했던 진정한 자유이자 낭만이기에.

평소에도 지긋지긋할 정도로 봐오던 익숙한 풍경이었지만, 이 정도의 고요함은 흔히 볼만한 광경은 아니기에 스쳐 가는 건물들을 살펴보며 발걸음이 닿는 곳을 따라 한참을 뛰다 보니 푸른 아침은 찾아왔고, 새의 지저귐이 들려왔다. 숨을 고르며 이리저리 둘러보다 커다란 식자재 마트가 눈에 들어왔다. 누군가 관리하지 않아 아침부터 환하게 불이 켜져 있는 마트로 들어섰다. 시원한 공기가 몸을 가득 덮쳤다. 땀이 빠르게 식으면서 느껴지는 오싹함에 몸을 부르르 떨었다. 아무도 없는 아침의 마트의 풍경이 꽤 신선했다.

입구에 줄줄이 있는 카트 중 하나를 끌고 마트 안을 뛰어다녔다. 가속력을 붙여 카트에 매달려 스릴을 즐기기도 하고, 카트 안에 쪼그려 앉아 멍하니 마트 안을 구경하기도 했다. 식자재 마트라 그런지 대용량의 상품들이 진열돼있었다. 새로 접해보는 장소에 들떠 마트 안을 이곳저곳 돌아다녔다. 평소엔 딱히 잘 사 먹지 않던 음료를 마시며 과자 판매대에서 과자들을 뜯어 먹었다. 육류 판매대에서 진열된 고기들을 이것저것 구경하고 눌러보기도 하고, 평소에 먹고 싶어도 금전적 문제 때문에 쉽게 못 사 먹던 것들을 카트에 가득 담았다. 엄청나게 커다란 육포, 냉동 다코야키, 바비큐용 고기에다가 견과류가 뿌려진 신선한 채소가 가득한 샐러드, 그리고 대용량 감자 칩까지. 평소에 꾹 누르고 다니던 욕구들을 마구잡이로 분출했다.

그렇게 시간이 얼마나 지났을까, 나중에 먹고 싶은 것들을 카

176

트에 담고선 그대로 카트를 질질 끌며 마트를 나왔다. 가방에서 핸드폰을 꺼내 들여다보니 시간은 오전 9시를 말하고 있었다. 이제 또 어디로 갈까? 우선은 익숙한 이 주변부터 둘러보는 게 낫겠지.

카트가 좀 무거우니 인도로 다니는 건 조금 무리일지도 모른 다는 생각에 차도 위로 천천히 걸어갔다. 도로변에 있는 상가와 건물들은 사람의 온기가 남아있다고는 생각되지 않을 정도로 고요했다. 학원 건물, 빵집, 편의점, 학교 같은 사람들이 있어야 할만한 곳에는 누군가의 발자국도, 일상의 사소한 대화들도, 그 어떤 것도 존재하지 않았다. 그 덕분에 이렇게 여유롭게 이 동 네를 제대로 눈에 담아보기도 하니 좋은 건가? 주위를 이리저 리 살펴보며 걷다 나온 모퉁이에서 익숙한 놀이터를 발견하고 는 주저 없이 바로 그곳으로 향했다.

아이들이 시끌벅적하게 내던 웃음소리도 적막으로 덮여버린 놀이터에 다다랐다. 평소에도 가끔 산책으로 나오면 아이들이 없을 시간대에는 여기에 와서 그네를 타곤 했었지. 잠깐 그네에 앉아 과거를 회상했다. 끼익하는 마찰음을 내며 앞뒤로 흔들리 는 그네는 차가운 공기를 가로질렀다. 그 덕에 코끝이 조금 시 렸지만, 마냥 기분이 좋았다. 고개를 들면 보이는 푸른 하늘도 크레파스로 그린 것처럼 하얀 구름이 가득했다. 그래서 그런지 햇빛은 존재하지 않았다. 시린 추위가 아닌, 적당히 기분 좋게 시원해서 활동하기 좋은 날씨다. 천천히 그네를 움직이며 살짝 고개를 떨궜다. 그때 앞을 조용히 지나가던 고양이와 눈이 마주쳐 동시에 움직임을 멈추었다.

"아, 고양이다."

사람은 없어져도 동물은 남아있네. 검은 털의 고양이가 초록 눈을 동그랗게 뜨고 가만히 날 응시하고 있었다. 고양이가 놀라지 않게 낮게 몸을 숙인 채로 천천히 손을 뻗었다. 하지만 기대와는 다르게 눈 깜짝할 새에 고양이는 건너편의 수풀로 도망쳐버렸다. 아쉬움에 수풀을 빤히 바라봤지만, 그 아쉬움에 응답하듯 수풀은 미동도 없었다. 숨을 길게 한번 뱉고선 자리에서 일어나 무릎을 털었다. 그러면 이제 다른 곳으로도 가볼까?

다시 그네에 앉아 핸드폰의 갤러리를 들여다봤다. 과거의 추억들이 조각처럼 남아 현재의 나에게 다가왔다. 그러다 눈에 들어오는 한 사진, 하늘의 푸름을 꼭 닮은 바다 사진이 눈에 들어왔다. 부서지며 반짝이는 파도의 아름다움을 품은 바다. 바다에 갈까? 바다에 갈까. 바다라는 단어가 머릿속에서 메아리처럼 울린다. 그래, 바다에 가자. 여기서 바다까지 가는 길은 알고 있으니 시간에 얽매일 필요 없이 천천히 걸어가면 되겠지. 바다로 간다는 목표로 카트를 질질 끌며 차도 위를 천천히 걸어갔다.

바다로 가던 도중 보이는 학교 옆 문방구에서 비눗방울을 하나 가져와 비눗방울을 날리고, 나뭇잎이 마찰하는 소리와 새들의 지저귐을 들으며 천천히 계속해서 바다를 향해 걸었다.

통속의 낭만

한 시간 정도를 한참 걸었을 즈음. 점점 들려오는 파도 소리와 바다의 향이 바람에 실린 채 불어왔다. 원래라면 자동차의 소음에 묻혀 잘 들리지 않았을 작은 소리에 설레었다. 서둘러 바다가 있는 쪽으로 뛰었다. 파도에 물결이 일렁이고 햇빛이 반사되어 반짝거리며 아름다운 푸름을 뽐내는 드넓은 바다가 눈에 들어왔다. 파도가 모래와 부딪혀 부서지는 소리에 안정감과 함께 기분이 좋아졌다. 모래사장으로 내려가는 계단에 걸터앉아 바다를 가만히 바라보았다. 그저 그렇게 계속 불어오는 바닷바람을 맞으면서. 어느새 시간은 자정을 가리켰다. 옷의 호주머니에서 막대사탕을 까 입에 물었다. 자리에서 일어나 눈을 감고 천천히 모래사장을 걸었다. 이렇게 일상을 고요하고 온전하게 느낄 수 있는 지금이야말로 낭만이자 행복이지.

그렇게 파도 소리를 들으며 모래사장을 계속 걷다 보니 어느샌가 모래사장의 반대편에 도착하였다. 바다를 구경하고 모래사장을 걷는 것에 정신 팔려 깜빡하고 카트를 두고 왔다. 다시 돌아가서 카트를 가지러 가기에는 너무 멀리 나온 것 같다. 그러고 보니 여기서 앞으로 조금만 더 가면 백화점이 있지 않았나? 고개를 들어 솟아있는 건물들 사이로 유독 눈에 띄는 간판을 응시했다. 그래도 백화점까지의 거리가 그렇게 멀리 있는 것 같진 않으니 백화점 간판을 보며 길을 찾아갔다.

통속의 낭만

백화점이 워낙 크다 보니, 입구가 어디 인지 찾을 수가 없어 빙 돌고 돌아 출입구를 찾아내었다. 고급스러워 보이는 손잡이가 달린 유리문을 밀고 백화점으로 발을 들였다. 깔끔하고 좋은 향기가 훅 다가왔다. 금빛으로 반짝이는 진열대와 딱 봐도 고급스러워 보이는 화장품들과 흔히들 아는 명품 가방들이 펜스가 쳐진 채 1층에 즐비해 있었다. 너무도 반짝이고 눈부신 공간에 인상을 살짝 찌푸리곤 빠른 걸음으로 걸었다. 원래도 딱히 관심이 없긴 했지만, 지금은 이런 사치스럽고 남들에게 내보여주기 위한 것들에는 관심 없다. 백화점 안을 조금 걷다 보니 엘리베이터가 있는 공간에 다다랐다. 엘리베이터의 맞은편 벽에는 층별 배치도가 간단하게 표시되어있었다. 이런 백화점에 올 일이 잘 없으니 이렇게 크고 복잡한 백화점이 신기할 뿐이다. 지하 2층 식품관, 8층 면세점…. 우선 제일 궁금한 식품관을 먼저 가보자. 엄청나게 느린 엘리베이터를 타고선 지하 2층으로 내려갔다.

"지하 2층입니다."라는 안내 음성이 나오며 천천히 문이 열리는 엘리베이터에서 발걸음을 내디뎠다. 식품관에 도달하자마자 한 눈에 다 담기도 힘들 정도로 거대한 공간 안에는 깔끔하게 진열되어있는 디저트와 간단한 식사 거리가 즐비했다. 엄청 깔끔하고 깨끗하고…. 뭐, 조용하네. 진열장에 가까이 다가가 진열되어있는 음식들을 구경했다. 인터넷에서 많이 보았던 비싸고 맛있어 보이는 음식들이 가득하다. 평소에는 딱히 잘 오지도 않는 곳을 이렇게 와서 구경하니까 새롭기도 하고, 음식들은 향도 좋고 꽤 맛있어 보인다. 상한 거 같아 보이진 않는데, 먹어봐도 괜찮은 거겠지? 유부 속 재료가 가득 들어있는 유부초밥을 꺼내 들어 한 번에 입에 머금었다. 다행히도 상하진 않았는지 맛은 생각보다 아주 괜찮았다. 다른 맛의 유부초밥을 하나 더 집어 들고서는 다른 진열대를 더 둘러보았다.

디저트 쪽을 구경하던 도중 인터넷에서 많이 봤던 먹음직스러워 보이는 딸기타르트가 눈에 들어왔다. 이거 한창 인터넷에서 유명하던 디저트 아닌가? 이런 걸 내가 먹어볼 기회가 지금 말고 어디 있겠어. 줄줄이 진열돼있는 딸기타르트 중 하나를 집어 들어 한입 베어 물었다. 먹기 조금 불편하긴 했지만, 생각보다 괜찮았다. 딸기를 제외한 타르트는 딱히 내 스타일은 아니긴 하지만….

그렇게 식품관을 구경하며 이것저것 집어먹다 보니 어느 정도 기분 좋게 배가 찼다. 시간을 확인해보니 곧 오후 2시가 되어가고 있었다. 여기에 또 뭐가 있더라. 우선은 다시 엘리베이터로 돌아가 층별 배치도를 확인했다. 8층 면세점, 면세점이 뭐지? 들어보기만 했었지, 잘 모르는 장소에 대한 호기심에 이끌려 8층을 눌러 이동했다.

"8층입니다."라는 안내 음성과 함께 엘리베이터의 문이 열렸다. 문이 열리자마자 보이는 것들은 개방된 채로 옷이 진열되어 있는 옷가게들이 어지럽게 줄지어있었다. 천천히 걸으며 양옆에 줄지어있는 옷가게들을 둘러보았다. 가끔 보이는 마음에 드는 옷을 몇 번 걸쳐보았지만, 딱히 별다른 흥미는 느껴지지 않았다. 그렇게 조금씩 그 안을 둘러보던 때에 눈에 들어오는 입구와 간판이 있었다. 영어로 '모던 홈'이라고 적혀있는 간판의 조명이 은은하게 빛나고 있었다. 모던 홈, 들어본 적 있다. 여기는 아니지만 아주 예전에 한 번 와봤던 기억도 있고, 추억을 되짚으며 모던 홈으로 발을 들였다.

제일 먼저 눈에 들어온 것은 각양각색의 유리컵과 접시들이 진열되어있었다. 평소에도 이런 이쁜 유리컵들을 좋아했기에 이것저것 들어보며 구경하였다. 하지만 이제 와서 딱히 쓸만한 곳은 없기에 다시 컵을 내려놓았다. 그리고 계속해서 매장 안을 천천히 돌아다녔다.

아기자기하게 꾸며진 장난감들과 책상, 그리고 마치 집 같은 느낌을 내도록 진열된 상품들. 소파에 앉아 TV를 보는 시늉을 했지만 역시 흥미가 느껴지지 않았다. 매장 안을 가득 채우는 노랫소리뿐 어떠한 소음도 나지 않는다. 지루해. 쓰러지듯 소파에 누웠다. 당장 오늘 아침에 들뜬 채로 당차게 발걸음을 내디디며 여기까지 걸어온 사람이 지금 이렇게 갑자기 무기력해져도 괜찮은 건가? 두 손으로 머리를 싸맸다. 괜찮겠지, 괜찮을 거야……. 괜찮을까? 문득 그런 생각이 들자마자 누워있던 소파에서 벌떡 일어났다. 급하게 일어난 탓에 피가 쏠려 눈앞이 하얬다. 주머니를 뒤져 핸드폰을 켜 시간을 확인했다. 오후 4시, 정말로 애매한 시간이다. 뭐라도 더 할 게 있지 않을까 생각했지만, 딱히 더 떠오르는 건 없었다. 바로 위층에 영화관이 있긴 하지만 별다른 흥미는 느껴지지 않는다.

자리에서 일어나 다시 매장 안을 둘러보았다. 바로 근처에 푹신해 보이는 이불과 침대가 양옆으로 진열되어있었다. 이른 시간부터 일어나 평소에 잘 안 하던 일을 하고, 여기저기 들쑤시고 다녔더니 침대를 보자 수면 욕구가 들끓었다. 어릴 때 이런 곳에 누워서 잠을 청하고 싶긴 했었지. 욕구를 참지 못하고 그대로 침대 위로 픽 엎어졌다. 푹신하고 좋은 향기가 나는 이불에 나른함과 게으름이 피어났다. 신발을 대충 벗어 던지고 제대로 이불 속으로 들어가 그대로 잠을 청했다.

암흑 속에서 눈이 번뜩 떠졌다. 개운함이라고는 없는 불쾌한 수면이었다. 찌뿌둥한 기분을 기지개를 피며 해소했다. 그리고 호주머니를 뒤져 시간을 확인했다. 오후 10시였다. 그런데도 백화점 안은 여전히 환하고 고요했다. 역시나, 이전과 변하지 않은 상황에 한숨을 푹 뱉으며 무거운 몸을 일으켰다. 머리를 가볍게 털어 간단하게 뒤로 넘겼다. 그 무엇도 신경 쓸 필요가 없다. 나 말고는 이제 여기는 정말로 아무도 없으니까. 그러니까…. 흠 소리를 내며 숨을 크게 들이마셨다. 여기서 더 볼 것도 없으니, 이제 여기서 나가자. 느릿느릿 오늘 왔던 길을 되돌아갔다. 줄지어있는 고요한 옷가게 앞을 지나 멈춰있는 엘리베이터에 올랐다.

"1층. 내려갑니다."라는 말과 함께 문이 닫히며 엘리베이터는 천천히 내려가고 있었다. 화면 속 변하는 숫자를 멍하니 바라봤다. 그리고 1층에서 다시 문이 열렸다. 빠른 걸음으로 큰 로비를 빨리 지나가려고 했지만, 금세 힘이 빠져 다시 천천히 백화점의 큰 1층 로비를 가로질러 밖으로 나왔다. 밤공기가 꽤 차가웠다. 숨을 크게 들이마시고 뱉었다. 차가운 공기가 목구멍을 찌르듯 시원함이 남아있었다. 천천히 밤의 공기를 느끼며 정처 없이 걸었다. 그때 눈앞에 아주 커다란 나무와 작게 정원처럼 가꾸어진 곳 뒤로, 한 가게가 보였다. '유성 정원'이라고 정갈하게 네 글자가 딱 적힌 가게. 누런 조명이 입구를 밝히고 있었다. 왠지 모를 이끌림에 가게의 문을 열었다.

가게의 이름과는 다르게 깔끔하게 정돈된 찻잎들이 눈에 들어왔다. 찻집인가…. 눈동자를 이리저리 굴리며 가게 안을 둘러봤다. 메뉴판을 보니 역시 차 메뉴들뿐이다. 종류가 워낙 많아서 읽기는 좀 어렵긴 하지만 좋아 보이긴 하네. 그냥 휴식도 좀 할 겸 오랜만에 차나 한잔 마실까? 메뉴판을 보고서는 전혀 모르겠으니 직접 향을 맡아 봐야겠네. 다양한 찻잎들이 진열된 곳

184

으로 가 뚜껑을 이것저것 열어보며 향기를 맡았다. 검붉은색의 가루가 든 병은 매운 향이 났다. 또 다른 보라색의 꽃차는 꽃의 향긋한 향이 훅 올라왔다. 아직 마음에 드는 차를 찾지 못하여, 병을 덜그럭거리며 이것저것 향을 맡아보았다. 붉은색의 찻잎과 무언가 달콤한 사과 향이 나는 병을 찾아냈다. 마음에 드는 차를 찾았으니, 찻주전자에 찻잎을 조금 넣고, 조금 전 찻잎의 향을 맡을 때 미리 올려놓은 뜨거운 물을 부었다.

주전자에 차를 우리는 동안 찬장에서 찻잎을 거르는 작은 망과 찻잔도 골라와 이쁜 나무쟁반 위에 가지런히 올려놓았다. 어디에 앉을지 가게 안을 가볍게 탐색했다. 역시 방금 들어오면서 본, 작은 정원이 잘 보이는 창가 자리에 앉는 게 좋겠지. 찻잔에 거름망을 올려 주전자를 기울였다. 하얀 연기가 옅게 올라오며 우려진 찻잎의 달콤하고 좋은 향을 풍겼다. 향을 음미하며 조금씩 차를 홀짝였다. 오랜만에 느껴보는 여유인 것 같다. 입안 가득 차는 부드러운 향이 기분 좋게 느껴졌다. 시선을 내려 찻잔 속에서 일렁이는 물결에 아까 보았던 커다란 나무가 비쳐 보였다. 물결 위로 세상이 반대로 비쳐 보인다. 마치 거울처럼. 복잡해지는 생각에 차를 다시 한 모금 마셨다. 지금까지는 그냥 당연하다고만 생각했지만…. 왜 이렇게 고요하지.

아무리 다시 생각해도 현재의 기묘함은 지울 수가 없었다. 왜 나만 빼고 모두가 사라졌지? 그러게, 왜 다 사라졌을까? 사라진 건…. 그들이 아니라 나일지도. 눈을 질끈 감고 찻잔을 덜그

럭거리며 내려놨다. 여유고 뭐고, 원래 이렇게까지 밖에서 잘 돌아다니면서 바보같이 마냥 좋아하는 성격이 아닌데, 오늘따라 왜 이러는 거지? 백화점에 들어서고 난 후, 잠자리에 들기 전부터 지금까지 들었던 생각들과 감정 기복이 너무 심하다. 한숨을 폭 내쉬며 마른세수를 했다. 잠깐의 휴식을 원했지만, 자꾸만 현재 상황에 의문을 제시하는 생각들과 그 생각의 꼬리를 무는 생각들이 연속적으로 떠올라 머릿속을 헤집어놓는다. 잠깐 숨을 고르며 불안함을 떨쳐내기 위해선, 빨리 어떤 장소로든 가야겠다고 생각했다. 이 짓은 이제 그만하자.

의미 없이 큰 소리로 의자를 질질 끌며 자리에서 일어나 찻잔과 찻주전자를 정리했다. 그리곤 빠르게 가게를 나왔다. 핸드폰을 들어 시간을 확인했다. 시간은 오후 11시를 넘어가고 있었다. 온종일 밖을 돌아다니며 핸드폰을 충전하지 않은 탓인지 화면은 붉은빛을 마지막으로 방전되어 제 기능을 하지 못하게 되었다. 진짜 되는 거 하나도 없네. 어쩌다 이렇게 이런 상황까지 와서 나만 남아버렸는데 짜증 나게. 명백한 나의 불찰이었지만, 멋대로 합리화하며 존재하지 않는 타인을 탓했다.

바깥의 시린 공기에 호주머니에 손을 집어넣고 빠른 걸음으로 걸었다. 그리고 익숙한 불빛이 새어 나오는 지하철역 출입구 계단을 내려갔다. 내가 계단을 내려가는 소리 이외에는 정말 그 무엇도 없다. 정말 아무것도. 지하철을 타러 내려가는 곳에 있는 큰 공간과 지하상가가 합쳐져 있는 곳. 절대 조용해질 수 없는 곳이다. 뭐, 내가 오늘 들렀던 모든 곳이 그런 곳이긴 하지만, 갑자기 밀려오는 괴리감이 너무도 컸다. 처음에는 바보같이 지금을 즐기기나 했는데, 정신 차려보니까 이런 곳들에 나 혼자서만 이렇게 남겨져 있고, 왜 나는 지금 여기까지 와서 이러고 있을까?

마주하고 싶지 않아 무시해왔던 현재의 불안과 생각들에 고개를 폭 숙여 머리를 감싸 쥐었다. 이 정적이 너무 싫어. 아무리 사람이 싫다곤 해도 평범하게 느끼는 일상 소음은 어느 정도 괜찮다고 생각했는데. 이래서 사라져도 모두 다 같이 멸망하길 바랐어. 이딴 식으로 나만 이렇게 혼자 남아서 온갖 불안과 괴로움을 떠안기 싫었다고. 왜 하필 나인 건데, 왜 내가 이렇게 살아야 하는 건데, 이제 와서 이런 허상 같은 낭만을 즐기면 뭐가 좋은 건데, 도대체 왜…. 떠올리고 싶지 않아서 삼켜왔던 생각들이 울분을 터트리듯 쏟아졌다.

내가 왜, 여기까지 왔지…. 숨을 들이마셨다가 길게 뱉었다. 머리가 다시 정돈되어 돌아가는 느낌이었다. 바다…. 바다가 보고 싶어서. 왜 바다가….

순간 떠오르는 하나의 생각에 자리에서 일어났다. 천천히 계단을 오르면서, 그리고 점점 더 빠른 걸음으로 계단을 오르면서도 그 하나의 생각이 강렬하게 남아 현재를 확신하게 해주었다. 지상에 다시 올라왔을 때 머리 위로 차가운 무언가가 떨어짐을

느꼈다. 고개를 들어보니 비가 조금씩 떨어지는 듯싶더니 순식
간에 쏟아져 내렸다. 폭우였다. 고개를 들어 구름이 끼어 회색
빛이 된 하늘을 멍하니 바라보았다. 빗방울이 얼굴을 타고 흘러
내려 머리카락과 옷가지를 적셨다. 그렇게 가만히 있다 보니 왜
인지 웃음이 피식피식 새어 나왔다. 천천히 도로 위를 걸었다.
그리고 점점 더 빠르게 도로 위를 달리며 폭소했다. 빗물인지
눈물인지 모를 것들이 얼굴을 흠뻑 적셨다.

그렇게 비를 맞으며 한참을 도로 위를 달리다 보니 바다 위
의 대교에 도착했다. 아래를 내려다보니 아침에 보았던 푸른 바
다는 어디 가고 빛을 집어삼킨 듯 새카만 바다 위로 잔잔하게
파도가 물결치고 있었다.

결국, 다시 바다로 돌아왔구나. 고개를 돌려 하얀 가로등 불
빛이 비치는 대교 위를 바라보았다. 비는 잦아들었고 찰박거리
는 나의 발소리와 파도가 치는 바다의 소리만이 존재했다. 한적
한 대교 위를 걸었다. 바다 바로 위에 있어서 그런지 차가운 밤
바람이 거세게 불어댔다. 조금 더 걸어 어느 정도 높게 올라왔
을 때 다시 한번 바다를 내려다보았다. 바다의 짠바람과 물비린
내가 불어왔다. 그럼에도 그 새카만 품은 여전히 고요하고 아름
다웠다.

모두가 사라진 이 세상에서 허상의 낭만을 추구하며 끝없는
자극과 만족감을 충족시키기에는 너무도 적막하고 기이하다. 여

전히 사람이 싫긴 하지만, 역시 혼자서 이딴 식으로 무의미하고 고통스럽게 살아가는 것조차 싫다. 그러니 칠흑같이 어둡지만, 무엇보다도 넓은 이 바다에 날 맡겨보려고 한다. 적어도 바다는 날 따뜻하게 감싸 안아줄 테니 후회는 없다. 이미 바라던 소원은 이뤄졌으니까, 그거면 된 거지.

다시 돌아오지 못할 이 순간에 작별 인사를 하고는 숨을 깊게 들이쉬었다. 그리고 드넓은 바다의 품속으로 뛰어들었다.

삐-. 삐-. 거슬리는 고주파 소리를 시끄럽게 내던 기계가 멈추고 적막이 흘렀다. 그리고 여기저기서 한숨이 튀어나왔다.

"또 실패인 건가?"

하얀 가운을 입은 그는 지끈거리는 머리를 부여잡으며 말했다.

"17번 통속의 뇌 실험자도 결국 똑같은 선택을 했네요."

"도대체 왜 다들 죽고 싶어서 안달이 난 거야? 경과는 좋아도 자극을 주면 결과가 왜 이렇게 나오는 거지?"

"그러게요."

짜증을 내는 사람의 옆에 조수로 보이는 사람이 하하하 멋쩍게 웃으며 잔뜩 어지럽혀진 책상 위를 간단히 치우고는, 커다란 통을 들어 뚜껑을 열었다. 비릿한 화학 냄새와 뇌에 여러 가지 실험 경과 체크와 자극을 주기 위한 측정기들이 달려있었다.

"계속해서 자극을 주는 것도 역시 문제네요. 과부하가 와서 버티질 못하니…."

"그래, 최대한 현실과 비슷하게 만들어도 물체의 시간도 흐르지 않고, 다른 사람들도 존재하지 않으니, 감이 안 오는군."

"그래도 이런 낭만 없는 시대에 퇴색되어버려 기억 속에만 남게 된 낭만을 즐겨보겠다고 실험에 도움을 주시는 분들이 없었다면, 이런 실험도 못 했겠죠?"

"하아…. 그래. 그분들이 원하는 낭만이란 걸 잘 이해하지는 못하겠지만, 그런 허상 속의 낭만이라도 즐겨보겠다고 실험자 지원도 꽤 있어서 다행이긴 하네. 생각보다 잘 되진 않지만."

"그럼 17번째 통속의 뇌 실험자는 폐기하겠습니다."

진득한 액체에서 건져 올려진 흐물거리는 뇌는 폐기물 봉투 안으로 무심하게 던져져 버렸다. 잊혀버린 낭만을 바란 결과는 폐기였다. 이상과 꿈을 바랄수록 비참해질 뿐인 우리들의 낭만은 그저 바램으로만 존재할 뿐이었다.

그리고 또 다른 허구 낭만 실험의 시작이었다.

통속의 낭만

통속의 낭만

종언의 예고

1999년, 세기의 끝자락. 고요한 예배실에서 소름 돋을 정도로 속삭이듯 기도를 외는 사람들이 가득했다. 혼란 속에서의 한 줄기의 빛인 유일신에게 바치는 통곡의 합창이었다. 그 기묘한 풍경도 잠시, 재단 앞에서 두 손을 높이 올리는 수장의 모습에 목소리가 잦아들더니 모두가 고요히 두 손을 꼭 모으며 고개를 숙였다.

"오늘의 교리를 마치겠습니다."

"높으신 분의 말씀에 감사드립니다."

오늘의 교리를 마치는 수장의 말에 기도를 올리던 사람들이 같은 말을 외었다. 잠깐의 정적이 찾아온 후, 앉아있던 사람들이 우르르 일어나 서로 간단하게 인사를 나누곤 뿔뿔이 흩어졌다.

모두가 돌아간 예배실 안, 오늘 교리에서 쓴 교구들을 정리하고 있던 때, 이 교단의 수장인 명도원이 느린 걸음으로 곁에 다가왔다. 예배실 안에 둘 만남은 탓인지 교구가 부딪히며 정리되는 소리 이외에는 그 어떤 소음도 느낄 수 없었다. 그럼에도 교구를 정리하는 내 옆에서 조용히 재단을 빤히 바라보는 명도원이 거슬렸다.

"안 도와주고 그렇게 넋 놓고 있을 거면 여기 문이나 잠그고 오지 그래?"

"하하, 내가 옆에 있어 주는 것만으로는 도움이 안 되나 보지?"

"퍽이나 도움이 되겠네요."

"그래도 넌 나 없으면 안 되잖아?"

명도원이 내 옆에 바짝 붙어 고개를 들이밀었다. 너라고 다를 게 있을까. 라고 말하고 싶었지만, 어깨를 타고 올라오는 시선에 대꾸도 못 하고 눈을 피했다. 명도원이 처음으로 나에게 이런 일을 같이하자는 말에 대답한 것도, 독실한 신자들이 우러러 보는 수장이라는 녀석의 옆에 아무 말 없이 늘 있는 불신자인 나니까. 별다른 대꾸도 못 하고 지금까지 이렇게 곁에서 가만히 있는 것이다.

남은 교구들을 완벽하게 정리하고 방으로 돌아가려던 때 명도원이 나를 불러 세웠다.

"밖에 나가자, 지금을 즐기자고."

"신앙 전도는 어제도 했잖아."

"진명아, 모르는 거야? 불쌍한 불신자야, 길을 잃은 네게 신의 대리자인 내가 친절히 답해주지. 겨울이 왔단다. 우리에게 남은 시간이 없어."

명도원은 제자리에서 한 바퀴 빙글 돌더니 과장된듯하게 말하며 웃었다. 가끔 명도원이 나에게도 저런 말투로 조소하듯 말할 때마다 짜증이 나지만 숨을 짧게 뱉고선 알겠다고 답했다.

창고에 있는 신앙 전도 팻말을 들고 명도원과 함께 밖으로 향했다.

새하얀 눈이 포슬한 솜처럼 내리는 저녁. 거리 위는 고요할 것만 같은 눈 속에서도 어수선함을 자아냈다. 암울한 연말이었다. 팻말을 들고 종말을 선언하는 사람, 바닥에 주저앉아 물건을 팔거나 눈물을 흘리는 사람, 우리와 비슷하게 신앙을 전도하는 사람과 그런 것들을 무시한 채로 평범한 일상을 이어가는 사람들 등. 세기의 끝자락에서 사람들이 느끼고 행동하는 방식은 각양각색이었다. 명도원도 길가에 서서 유일신을 믿으면 종말이 오더라도 구원받을 거라는 말을 하면서 신앙을 전파하고 있었다. 나는 그 옆에서 가만히 서서 천천히 주위를 둘러봤다.

12월의 겨울이라는 게 실감 나지 않을 정도로 혼란스러운 분위기였다. 2000년 세계 종말이라는 이야기에 선동되는 사람 한두 명에서부터 시작해서 그 수는 박테리아가 분열하듯 빠른 속도로 전이됐다. 제대로 된 정신이 있는 사람들은 딱히 선동되진 않겠지만, 시대가 시대이다 보니 생각보다 파장이 컸다. 밀레니엄 버그, 휴거, 각종 범죄와 사재기. 사람들은 종말이란 단어에 겁에 질려 각자의 방식으로 회피를 선택했다. 물론 우리나라 안에서만 해당하는 문제는 아니지만 내가 말하고 싶은 건 나는 아무래도 상관없다는 것이다. 2000년대는 늘 그렇듯 아무 탈

없이 시작될 것인데 말도 안 되는 신이나 휴거, 구원 같은 걸 믿을 수가 있겠냐고.

모든 것들이 한심하고 무의미하게 느껴지기에 한숨을 푹 내쉬었다. 여전히 명도원은 옆에서 팻말을 흔들면서 좋은 사람인 양 웃으며, 다가오는 사람들에게 포장된 거짓말을 하기 바빴다. 사람 좋은 척 그럴싸한 말만 늘어놓는 명도원도, 저마다 현재를 회피하기 바쁜 사람들이 진저리가 나 그 자리에서 벗어났다. 빠른 걸음으로 다시 예배실이 있는 건물로 향했다. 차가운 공기에 코가 시렸고 흩날리는 눈에 옷이 젖어 얼어버릴 것 같았다. 내가 지금 하는 이 행동들도 회피의 일종일지도 모르지만, 말도 안 되는 종말론에 휘둘리는 저들보다는 훨씬 나을지도 모른다. 숨을 길게 한번 뱉으니 하얀 입김이 피어올랐다. 코를 한 번 훌쩍이고는 다시 서둘러 예배실로 돌아갔다.

아무리 겨울을 좋아한다곤 하지만 밖에만 있기에는 너무 추운 날씨다. 차가운 철문을 열고 들어온 예배실에도 겨울의 찬 공기가 감돌았다. 지금은 딱히 신경 쓸 곳이 아니다. 제단 쪽으로 가까이 가야지만 그제야 보이는 목재 문을 열면 명도원과 내가 묵고 있는 작은방이 나온다. 간단한 주방과 양옆에 떨어져 있는 침대 두 개와 몇 개의 가구밖에 없긴 하지만 유일하게 내가 다시 돌아갈 수 있는 장소가 이런 곳뿐이다. 겉옷을 벗어 탁상 위에 던져놓고 침대에 몸을 뉘었다.

종언의 예고

12월 23일의 저녁, 내일이 크리스마스이브라던가? 뭐 그런 거라는데, 딱히 관심 없다. 새해가 올 때까지 이렇게 신앙 전도나 하면서 유일신을 믿어야 한다느니 하면서 헛소리를 계속할 테니까. 자꾸만 떠오르는 명도원의 모습에 온갖 귀찮음과 짜증이 밀려와 이불을 뒤집어썼다.

그 상태로 시간이 얼마나 지났을까. 끼익, 소리를 내며 열리는 문으로 명도원이 바깥의 찬 공기를 품고 들어왔다. 그새 눈이 또 많이 내렸는지 겉옷과 머리카락은 축축했고 걸음걸이가 무거웠다. 신발을 질질 끌듯이 걸어오더니 그대로 내가 누워있는 침대의 이불을 들춰내고 몸을 구겨 넣고는 허리를 꼭 안았다. 푹 젖어서 차가워진 상태로 껴안기니 깜짝 놀랄 수밖에 없었다.

"야 겉옷 벗고 와, 차가워."

"네가 나 버리고 먼저 들어왔잖아."

명도원은 등에 머리를 부비면서 나를 더 세게 끌어안았다. 한숨을 길게 내뱉고선 명도원의 팔을 붙잡아 몸을 돌렸다. 그제야 명도원이 품 안에 꼭 들어왔다. 푹 젖은 옷과 머리카락에 잠자리가 젖고 있어 짜증이 밀려왔다.

"추워."

"겉옷 젖은 거부터 빨리 벗어."

명도원의 겉옷의 단추를 위에서부터 천천히 열어 옷 안쪽으로 손을 밀어 넣었다. 순간 놀란 명도원이 몸을 움찔거리더니 그제야 자리에 앉아 겉옷을 벗어 바닥에 아무렇게나 내팽개치고는 다시 품속으로 쏙 들어왔다. 아무리 미운 놈이라고 해도 지금 내 옆에 있어 줄 만한 사람은 명도원이지 않은가, 혹여나 감기라도 걸리면 정말 골치 아프니까 덮고 있던 이불로 감싸듯이 함께 덮었다. 명도원의 푹 젖은 머리카락을 살짝 쓸어 넘겨주니, 내 손길을 따라서 쓰다듬받는 고양이 마냥 고개를 천천히 들어 올렸다.

"따뜻하긴 한데 좁아."

"그럼 네 자리에 가던가."

"흥."

명도원은 그 말을 뒤로 날 꽉 껴안으며 고개를 품 안에 파묻은 채로 잠들었다. 금세 새벽은 찾아왔고 내리는 눈은 그칠 기미가 보이지 않았다. 잠들어있는 명도원의 새하얀 목을 살짝 감싸 쥐고 풀기를 반복했다. 손으로 누른 자리가 조금 붉게 변했다. 멈추지 않는 시간에서 멈출 수 있는 건 우리뿐이다. 차라리 여기서 우리의 시간을 멈출 수만 있다면, 네가 그렇게 말하는 신이라도 믿을 수 있을 텐데. 몸엔 힘을 빼고 편하게 누워 명도원의 머리를 살짝 쓸어내렸다. 품 안에서 곤히 자는 명도원을 살포시 안은 채로 잠을 청했다.

아쉽게도 시간은 야속하게 흐른다. 12월 24일의 아침, 조금 소란스러운 분위기에 아직 피곤한 눈을 겨우 떴다. 잠들기 전까지만 해도 곁에 있던 명도원은 어디 가고 반대편 침대에 옷가지가 널브러져 있었다. 바깥의 예배실에서 말소리가 들려와 옷을 갈아입고 나가려던 순간 명도원이 다시 방 안으로 들어왔다. 품 안에 무언가를 한가득 가지고 들어온 명도원은 눈을 마주치자마자 곶감을 꺼내 입에 물고는 나에게도 하나를 권했다.

"언제 일어났어? 이거 먹을래?"

"난 됐어."

"허…. 우리 신도님이 주신 걸 거부하다니, 너무하다 정말…."

"알겠어, 알겠다고 좀. 하나만 줘."

한숨을 푹 내뱉고는 머리카락을 쓸어넘겼다. 그러곤 입을 삐죽 내밀고 삐진 듯 장난 가득한 표정으로 곶감을 내미는 명도원의 손을 낚아챘다. 그 바람에 명도원이 내 품에 들어오게 되어 뭔가 이상한 자세가 되긴 했는데 곶감은 받아내었다. 그러자 명도원은 묘한 웃음을 지으며 두 팔로 내 목을 감싸 안으며 말했다.

"아하…. 혹시 지금 나랑 그런 게 하고 싶다거나?"

고개를 쭉 내밀며 다가오는 명도원에 살짝 인상을 찌푸리며 뒷걸음질 쳤다.

"전혀 그런 거 아니거든?"

"그럴 수도 있지. 신의 대리자인 나인데, 탐내지 않을 수가….”

“아, 그런 거 아니라고!”

질색을 하며 밀어내니 그제야 만족한 듯 웃으며 물러나는 명도원이었다. 요즘 들어서 장난이 더 심해진 듯하여 시도 때도 없이 짜증 난다. 잠깐 머리를 식히려고 창문을 열었다. 겨울의 찬 공기가 폐부를 매섭게 드나들었다. 그렇게 잠깐 조용히 시간을 보낼 수 있나 생각하던 때, 명도원이 평소와 다르게 차분한 목소리로 말을 걸었다.

“있잖아. 음….”

말 못 할 이야기라도 하는 사람처럼 말 한마디 한마디를 뜸 들이면서 고민하고 눈동자를 이리저리 굴리며 안절부절못하는 것처럼 행동하는 명도원이 답답했다.

“뭔데, 이제 와서 나한테 말 못 할 비밀이라도 있는 거야?”

“…. 역시 너한테만이라면 말해도 되는 거겠지.”

명도원은 숨을 크게 한번 들이쉬더니 벽에 기대어 잠깐 생각을 정리하는듯했다. 잠깐의 정적이 흘렀다. 그럼에도 머릿속은 생각들이 이리저리 뒤엉켜 고요해질 틈도 없었다.

“솔직히 이런 말 내가 하기에는 좀 웃기지만…. 우리가… 아니, 내가 말하고 다니던 종말까지 일주일도 안 남은 이 시점에서 나는…. 자신이 없는데….”

이 공간 안에는 우리 둘뿐인데도 눈치를 살피면서 조심스럽게 평소 같으면 하지 않았을 말을 뱉었다. 다시 또 적막이 흘렀다. 명도원은 멋쩍게 웃으며 머리카락을 정리했다.

"하하, 역시 아닌 것 같네…. 잠깐 나갔다 올게! 오늘 있는 교리에 쓸 것들 좀 정리해줘."

명도원은 말을 마치기도 전에 급하게 목도리와 겉옷을 챙겨 들고선 빠른 걸음으로 방을 나갔다. 도대체 왜 무슨 생각으로 이런 일들을 벌이는 건지. 명도원이라는 사람은 과거에도, 지금도 도저히 이해할 수 없는 인간이다. 눈을 감고 숨을 한번 크게 들이쉬고 뱉었다. 방 안의 창문의 닫고 명도원이 부탁한 오늘 교리의 교구를 정리하러 방을 나왔다.

애석하게도 삶은 계속된다. 모두가 고대하는 종말이라는 날이 올 때까지 어이없게도 평소와 다를 바 없는 시간이 반복되었다. 명도원은 여전히 종말과 구원에 대해서 말해댔다. 하지만 종말의 날이 다가올수록 명도원은 매일 밤마다 앉아서 무언가를 생각하거나, 자주 외출을 하고, 새벽마다 내 품속으로 찾아 들어와 조용히 잠을 청했다.

품속에서 잠들어있는 명도원을 바라보며 생각했다. 옛날에는 해가 지고 나서도 우리가 헤어지지 않고 같이 밤을 보낼 수 있을까 생각했었는데, 어느 정도 그때의 바람이 이루어졌다고 봐도 되는 건가? 그때의 너는 어떻게 생각해?

1983년 무더위가 대지를 강타한 여름이었다. 후덥지근한 공기에 살짝 풀어헤친 와이셔츠를 펄럭이고 있었다. 태양의 손길이 닿지 않는 그늘 밑의 벤치에서 우리는 더위를 식히고 있었다. 막대 아이스크림을 먹으며 네가 우스갯소리로 뱉는 말들을 가만히 듣고 있을 때였다.

"만약에 2000년에 정말 우리가 목숨 붙여 살고있는 이 세상이 멸망한다면 어떨 거 같아?"

다가오는 2000년의 멸망에 관한 이야기는 학창 시절의 아이들이 충분히 할 만한 생각과 말이었다. 유독 별난 너이기에 이런 질문을 할거라는 건 어느 정도 예상을 하고 있었지만, 정작 떠오르는 대답은 없었다.

"그러게, 진짜라면 꼭 그랬으면 좋겠네."

"너무 우울한 거 아니야? 그전에 뭐 하고 싶은 거라도 있을 거 아니야?"

그 말에 딱히 대답하고 싶지 않아 고개를 돌리고 침묵했다. 이런 말을 하면서도 넌 뭐가 좋은지 얼굴에 미소를 띤 채 날 바라봤다. 명도원은 함께 있을수록 나까지 이상해지는 것만 같은 느낌을 주는 알 수 없는 놈이다. 그럼에도 내가 지금도 얘랑 같이 있는 이유는….

명도원이 갑자기 자리를 박차고 일어난 탓에 생각은 더 이어질 수 없었다. 고개를 돌려 다시 명도원을 바라봤다. 다 먹은 아이스크림 막대기를 입에 물고 비장한 표정과 과장된 몸짓으로 몸을 불린 채 외치듯 말했다.

"나는 세상이 멸망하기 전에 신의 대리자 행세를 하고 싶어. 물론 딱히 신이라는 걸 믿지는 않지만, 내 말 한마디에 선동되는 사람들을 보면 재밌을 거 같으니까!"

"그런 미친 짓을 굳이 하고 싶다고?"

"못할 이유는 없잖아? 그러니까…."

명도원이 나에게 손을 내밀었다. 여름의 짙은 노을빛이 명도원을 비췄다.

"이런 위태로운 곳에서 믿을 수 있는 게 서로뿐인 우리 둘이서 같이 그 순간까지 함께하지 않을래? 진명아."

저무는 태양처럼 붉은빛이 내게 손을 내밀었다. 잠깐의 침묵이 찾아왔다. 무더운 여름의 노을이 넘어가고 있었다. 혹할 정도로 달콤한 제안도 아닌, 그저 미친 짓일 뿐인 그 말의 대답은 내미는 손을 붙잡는 것뿐이었다. 녹아버린 아이스크림 때문에 붙잡은 손은 끈적였다. 여름의 단내가 우리의 연결점에서부터 피어올랐다. 너와 함께한 날들은 쉽게 미화돼버리기 쉬웠다. 아침이 지나고 밤이 찾아와도 우리는 계속 이렇게 함께할 수 있을까?

그럼에도 불구하고 시간은 야속하게 흘렀다.

1999년 12월 31일. 종말의 시작까지 몇 시간도 남지 않은 상태의 저녁이었다. 밖으로 나가 신도들과 만나 2000년의 1월 1일을 준비하려던 때, 명도원은 내 등을 떠밀며 먼저 나가서 기다리고 있으라며 재촉했다. 평소와 다르게 이상한 명도원의 행동에 의문을 가졌지만 금방 나가겠다고 말하며 나를 잠시 꼭 껴안고는 방 밖에서 밀어냈다. 아무 의심 없이 명도원이 쥐여준 검은 비닐봉지를 들고 바깥으로 향했다. 밀려오는 찬 공기에 눈을 질끈 감고 나온 거리 위는 일주일 전보다도 더 어수선했다. 당장 눈앞에 닥친 종말과 새로운 시작이 두려운 사람들이 여기저기 모여있었다.

종말까지 한 시간도 남지 않은 시점 새해의 카운트다운을 하는 장소에 모여 모두가 명도원을 기다리고 있었다. 생각보다 늦는 명도원 때문인지 조금씩 불안해지는 마음에 계속해서 손목시계를 들여다봤다. 시계 초침은 멈추지 않고 계속해서 흘렀다. 순간 바스락 소리를 내며 잊고 있었던 검은 봉투를 뒤져보았다. 신도 수에 맞게 준비된 빵과 쪽지 두 개가 들어있었다. 쪽지 하나에는 '너에게'라는 글씨와 함께 곱게 접혀있었다. 현재의 의문을 풀어줄 만한 답변이 여기 있을까 싶어서 쪽지를 펼쳐 읽었다.

'학창 시절 이후로 너한테 이렇게 글로 말을 전하는 건 처음인 거 같네. 네가 아마 이 편지를 보고 있을 때쯤이면 나는 이미 선택의 순간에서 하나를 골랐겠지? 솔직히 말해보자면 나도 신이란 건 딱히 믿진 않았어. 항상 진심을 담아 기도해도 우리는 늘 절망 속에서 살았었잖아. 옛날에도 얘기했듯이 그냥

1999년이라는 세기의 전환점에서 신의 대리자 노릇을 하면 어떨까 궁금했어. 좀 진심이 돼버리긴 했지만 나는 나름대로 만족해. 그런데 막상 이제 와서 현실을 마주해보니까 나는 용기도, 자신도 없어서 1999년을 떠나지 못할 거 같아. 미안해. 그래도 2000년은 널 반길 거야. 이건 신의 대리자인 나, 명도원의 마지막 문장이랄까? 하하…. 미안해. 예배실은 이제 어떻게 하든 좋아. 진명아, 이런 말 좀 부끄럽지만 평생 네 이름을 부르면서 지내고 싶었어. 2000년을 부탁해. 잘 지내야 해. 미래에서 기다릴게.'

너를 좋아하는

"명도원이….."

잠시만, 명도원이 지금…. 순간 올라오는 감정에 쪽지를 꽉 구기듯이 쥐었다. 검은 봉투를 한 신자에게 쥐여주고선 그 자리를 빨리 벗어났다. 빠르게 달릴수록 겨울의 찬 공기가 얼굴을 할퀴듯이 매섭게 스쳐갔다. 흐를 것만 같은 눈물에 눈을 꾹 감았다 떴다. 명도원이 나를 그렇게 내보냈던 이유도, 그렇게 오지 않았던 이유도 전부…. 목구멍에서부터 올라오는 감정을 삼키고 더 늦기 전에 도착하기 위해서 발걸음을 더 빨리 움직였다. 숨을 거칠게 들이쉬고 내뱉었다. 차가운 공기에 몸의 모든 곳이 얼어 마비되는 기분이었지만 정신을 다잡고 예배실 문을 박차고 들어갔다. 예배실을 가로질러 방으로 이어지는 문 앞에 서 있으니 무언가 타는 냄새가 조금씩 나기 시작했다. 아무리 문고리를 돌려도 방으로 이어지는 문은 열리지 않았다. 짜증 나, 명도원 너는 끝까지…. 급한 마음에 주변에 있는 무거운 물체를 들어 올려 문고리를 세게 내려쳤다. 둔탁한 쇠의 마찰음과 함께 문고리가 박살 난 채로 바닥으로 떨어졌고 몸으로 문을 부술 듯이 부딪히며 열고 들어갔다.

잿빛의 연기가 방안에 가득 들어차 있어 전혀 앞이 보이지 않아 소매로 입을 가리고 뛰어 창문을 벌컥 열었다. 연기가 조금씩 빠져나갈 때쯤에야 방 안의 상황을 제대로 확인할 수 있었다. 자신의 침대에 고이 누워있는 명도원이 그제야 눈에 들어왔다. 코끝이 찡해지고 눈물이 차올라 입술을 꽉 문 채로 명도원에게 달려가 누워있는 명도원을 꽉 끌어안았다.

"도원아, 도원아…. 도원아……."

명도원을 꼭 끌어안은 채로 이름만을 부를 수밖에 없었다. 하고 싶은 말이 있는데도 자꾸만 목이 매여서 바보같이 울기만 하면서 이름만 불러댔다. 늘 나한테 하는 장난이고 거짓말일 뿐이라고 믿고 싶어서, 이름이라도 부르면 일어나지 않을까 싶어서.

"대답해줘 도원아…. 제발…."

종언의 예고

역시나 돌아오는 대답은 없었다. 그럼에도 하염없이 눈물이 흘렀다. 잠들기 전 늘 그랬던 것처럼 머리를 쓰다듬어도, 어리광 피우듯 머리를 목덜미에 부벼도 아무런 응답도 없었다. 손을 주물러주면서 현실은 이렇지 않다고 믿고 싶었다. 차가운 겨울 공기 때문인지 그 손은 여전히 차가웠다. 코를 훌쩍이며 꼭 안고 있던 명도원을 잠시 눕혀 내려다보았다. 너무나도 평온하게 잠들어있는 모습이 미웠다. 명도원의 하얀 얼굴 위로 눈물이 몇 방울 떨어졌다. 사실은 너도 슬프지? 그래서 나한테 이러는 거지? 얼굴 위로 떨어진 눈물을 손가락으로 살짝 닦아주었다. 헝클어진 머리칼을 부드럽게 쓸어넘기고는 명도원의 볼을 쓰다듬었다. 바보야, 내가 널 진심으로 미워했으면 이러고 있진 않았겠지. 명도원의 손을 붙잡고 살짝 입맞춤했다.

1999년 세기의 끝자락에서 카운트다운은 시작된다. 사람들의 목소리가 격양되고 저마다 소망을 가지고 드디어 2000년의 1월 1일에 들어섰다. 그리고 이상할 정도의 고요함이 찾아왔다. 시간은 우리를 기다리지 않는다. 1999년도, 2000년도 그저 지나가는 하나의 시간일 뿐이었다. 그렇게 명도원의 시간은 그가 원했던 대로 1999년에서 더 흐르지 않았다. 이 공간에서 흐르던 우리의 시간은 멈추고 도진명의 시간만 하염없이 흘렀다.

2000년대의 시작을 알리는 1999년도의 미련의 눈물이었다.

종언의 예고

정해윤 대표 작가

<봄이 오면>

봄이 오면

봄꽃의 내음이 미웠다. 이 시기, 벚꽃과 함께 떨어지던 너의 숨 때문이었을까. 그녀와의 이별을 두고 내가 굳이 아파야 함에 탓을 돌려보자면 그것은 나, 나의 몫이었다. 죽음의 현장에서 기어코 너를 살려왔던 나의 탓. 그러나 후회하고 싶지 않다는 생각은 변함없다. 죽어가는 사람 앞에서 흔들린 한심한 인간성을 근거라 하더라도, 너를 지켜야만 한다는 딱한 애정을 근거라 하더라도, 과거라는 것을 굳이 뒤돌아볼 만큼의 미련은 내가 원하는 것이 아니었다. 하지만 봄이 오거든 밖을 나가기 두려워지는 것은 나 또한 과연 손 쓸 수 없는 것이었다. 뇌리 깊숙한 어느 곳에 꽂힌 기억은 고작 인간의 기도 따위로 뽑아낼 수 없는 것처럼.

벚꽃에 잠식당한 풍경은 아름답지 않았다. 창문을 반쯤 가리고 있던 커튼을 마저 쳤다. 시야 속의 봄을 모조리 거두어 낸 것이었다. 불 꺼진 집안을 겨우 밝히던 빛이 모조리 쫓겨나자, 공간은 암흑천지의 지경에 이르렀다. 암막 커튼 두 폭이 가둔 어둠은 그 어떠한 물체의 형태조차 보여주기를 두려워했다. 어둠이 호소하는 두려움에 나는 동감이라도 한다는 듯, 서둘러 거실의 불을 밝혔다. 그저 두 번 다시는 폐쇄된 공간에서 두려움에 발악하는 그 무언가의 꼴 따위 마주하고 싶지 않았을 뿐이었다.

주말의 오전, 천장 전등이 밝히는 거실의 바닥은 너저분하게 늘어진 옷가지들 사이 발 디딜 틈이 적었다. 언제나 정돈되어있던 모습이 이토록 전락하기까지 걸린 것은 고작 일 년의 시간이었다. 굴러떨어진 것은 스스로의 정신 상태뿐만이 아니었던 것임을 눈앞의 장면은 보란 듯이 증명하고 있었다.

사회초년생의 앞에 주어진 시급 네 배의 일자리는 거부할 도리 없는 성배였다. 비록 그 안에 든 것이 독주라고 할지언정. 우리의 만남은 수많은 판단의 다양한 의견 앞에서도 인연 혹은 연인으로 이루어질 수 없는 것이었다. 너는 처음 나를 마주했을 때 느꼈을 감정처럼 끝까지 나의 존재를 그저 악, 가까이 두어서는 되지 않는 것으로 여겼어야 했다. 사회에 알려진 단어로는 사이비 집단, 우리의 언어로는 치료원. 사건의 이전 네가 머물렀던 그곳은, 혈흔이 수없이도 존재하는 언덕 위의 하얀 집. 흔히 그리 불리는 것 중에서도 멀쩡한 이들을 위한 병동이었다. 그곳에서 내가 너를 처음 만났던 날. 그때 그 기억은 일 년 반이 흐른 지금까지, 조금도 빛바래지 않았다.

일 년 하고도 반년 전의 그날, 네가 입소했던 날. 그날, 그때의 기억은 기어코 나의 머릿속에서 또다시 피어난다.

"우리 주께 드리는 신앙과 믿음은 그대들과 같은 병자들을 구원할 것입니다."

봄이 오면

교주의 단 한마디 발언을 끝으로 네 병실의 문이 굳게 닫혔다. 너는 더 이상 푸른 풀밭의 내음을 맡을 수 없게 되었으며, 파란 바다의 냉기에 발을 담글 수 없게 되었다. 또한 비가 억수같이 쏟아지는 날에서의 추억을 만든다거나, 이따금의 좋고 나쁜 일에 눈물 흘릴 수 없게 되었다. 네가 충분히 겪을 만한 모든 날의 모든 상황과 그것들의 기억 속 너만이 만들어낼 추억들을, 나는 철로 된 문을 잠그며 잔인하게 앗아갔다. 볼 수 있는 세상이라고는 내 손 하나 크기의 창문뿐인, 감옥과도 같은 겨우 몇 평의 병실에 갇히던 너는 점잖은 태도만을 보였다. 여느 환자들과 같은 반응을 보이려 하지 않았다. 이를테면 몸부림과 괴성. 그 어떤 거부반응마저 보이지 않았다. 어쩌면 너는 이미 알고 있던 것이었을까. 상식이 통하지 않는 곳에서 쓸데없이 힘을 빼는 것만큼이나 멍청한 짓이 또 없다는 것을.

교주의 말씀이 법이며 그의 뜻이 곧 진리인 이곳은 감옥과도 다름없었다. 어쩌면 최소한의 상식이 통하는 감옥은 이곳보다 나은 곳일지, 그것은 또 모르는 일이었다. 치료소에 수감되어 있는 모두는 이곳에 발을 들이기 직전까지만 하더라도 분명 이질감 없는 사회의 일원이었다. 그들에게 흠이 있다면 그것은 인간이기에 가졌을 몇 가지 틈뿐이었다. 하루아침에 감금되었을 때, 그리고 감금의 주도자가 제 측근이었을 때, 아군의 배신을 온몸으로 깨달았을 때. 그때의 감정, 그것은 감히 몇 자의 글 따위로 형용할 수 있을 만큼의 일차원적인 감정에서 그치지 않

봄이 오면

는다. 또한 이 고차원적인 감정의 소용돌이는 사람이 미치지 않고서야 버틸 수 없을 수준에 이르도록 끝없이 망치고 변질시킨다. 이러한 과정의 마무리에 이르게 되면, 그들은 진정으로 폐쇄된 병동이 필요한 자, 사회의 언어로 환자가 되는 것이었다. 그리고 시급의 네 배를 받아 가며 일하는 모두, 나를 포함한 모두는 그들을 진정한 병자의 길로 인도했다. 그리하여 그들이 새로운 환경에서 새로운 모습으로, 이질감 없이 자연스러운 하나의 장면이 되도록 하는 것. 그것이 나를 비롯한 모두의 일이었으며, 집단의 궁극적인 목표였다.

부도덕하며 비인간적이고 잔인하며 비윤리적인, 그야말로 어떠한 경우에서도 선처되지 못할 행동이었음이 틀림없었다. 하지만 나의 악행과 같은 시대를 걷고 있는 스스로의 주위를 둘러본다면 환생한 노자라 한들 부도덕의 유혹에서 단 한 번 흔들리지 않을 수 없을 것이었다. 도덕은 보수라 평가하며, 유혹은 기회라 칭하는 시대에서 욕망에 잠식당한 도덕성이 서서히 빛을 잃는 것은 당연한 처사였을 뿐, 별다른 의미를 품고 있지 않았다. 내가 동조하는 모든 해악 속에서 하루 이틀 괴로움에 주저앉던 나는, 어느새 옳고 그름을 바라볼 초점마저 잃어가고 있었다.

"저기, 이름이 뭐예요?"

한 시간 전 잠에서 깨 멍하니 창밖을 바라보고 있는 그녀의 병실, 나는 그 앞을 막고 있는 철문을 강하지 않게 두드리며 질문했다. 이름을 알 수 없기에 물은 것은 아니었다. 모든 병자의 이름이란 그들의 병실 앞, 보란 듯이 기재되어 있었던 만큼이나 모르려 해 모를 수 없는 것이 이름이었다. 나의 질문은 그저 그녀의 담당 감독관으로서, 입소 후 일주일간 그 어떠한 음성도 입 밖으로 내지 않는 그녀에게 생긴 호기심쯤을 풀고자 하는 것에서 지나치지 않았다.

그녀는 천천히 일어나 내 얼굴이 보이는 철창 섞인 철문의 앞으로 다가왔다. 곧이어 목을 조금 풀고서 대답했다.

"이름이요…? 유채아요"

일주일간 꺼낸 적 없는 만큼이나 그녀의 목소리는 그야말로 날 것이었다. 그럼에도 흔들림 없고 무언가 혼재되어 있지 않은, 듣기 좋은 목소리였다.

"유채아 병자가 이곳에 입소했을 때부터 몇 가지 궁금했던 것이 있어요. 혹시 물어봐도 될까요?"

이름만을 묻고 지나치기에, 일주일간 내가 보았던 유채아의 행동들은 하나같이 사람의 호기심을 유발하는 특성을 가지고 있었다.

앞에서 이미 언급하였듯, 실시간으로 감금당하는 상황에서도 단 하나의 불만스러움조차 내보이지 않았던 것 하며, 매일 같은 시간에 일어나 배급되는 식사를 하고서는 곧장 침대 위에 양반다리를 하고 앉아선 공허한 뒤통수를 보여주며 창밖을 몇 시간씩이나 바라보는 것. 그리고 창밖 구경을 마치거든 나를 비롯한 많은 관계자가 오가는 복도를 눈높이의 철창 너머로 가만히 바라보고 있는 것. 마지막으로는 나와 눈이 마주치거든 소리 없이 그저 고개를 조금 숙이며 인사하는 것. 가장 궁금한 것부터, 몰라도 괜찮을 법한 것까지 순서를 정리하여 차례로 질문할 생각이었다.

"물어보세요. 그렇지 않아도 심심해서 밖이나 보고 있었거든요."

비교적 가볍고 그중에서 가장 궁금했던 것. 그것이 그녀에게 향하는 나의 두 번째 질문이었다.

"사실 그것도 궁금했어요. 항상 아침 먹고 앉아서 뭘 그렇게 보고 있는지."

유채아는 잠시 고민하는 듯 눈을 피하며 몇 초의 시간을 보내더니, 이내 깨달았다는 듯 다시 나의 눈동자를 바라보며 조곤조곤 설명하기 시작했다.

"음, 이곳은 무척이나 심심한 곳인 것 같아요. 같은 시간에 밥이 나오고 메뉴도 늘 거기서 거기고, 복도를 지나다니는 사람들도 전부 같은 옷에 같은 표정이거든요. 그나마 덜 일정한 게 창밖이라서요. 바람의 방향이나 정도, 그 바람에 흩날리는 나무들의 모습은 이 방에서 느낄 수 있는 최대한의 불규칙함이라서…. 아, 서론이 길었네요. 아무튼 요약하자면, 심심해서요."

점점 속도가 붙는 말과, 아까와는 사뭇 다르도록 망설임 없는 표정. 유채아의 모습에서, 나는 한마디라도 더 하고 싶어 하는 이십 대 초반의 풋내를 느낄 수 있었다. 그리고 내 가슴 깊은 곳, 굳은 표면을 비집고 나오는 무언가 감각을 자극했다. 치료소에서 근무했던 그 몇 년이 굳힌 것, 표면 속에는 아마도 죄책감 비슷한 감각이 자리 잡고 있었다. 순간적으로 하강하는 두 입꼬리를 간신히 잡아올렸다.

"그래서 창밖을 보고 있었구나…. 심심하면 종종 불러요. 그때마다 궁금한 것들 하나씩 마저 물어볼게요."

그녀의 대답에 적당히 호응하고서 나는 깜빡했던 일이 있다며 자연스럽게 대화를 끝맺었다. 멀쩡한 사람들을 '우리 주'의 이름으로 잡아오고서 그들이 하나둘씩 무너져 가는 모습을 감시하는 일을 한 것은 이미 몇 년 전부터였다. 초반에는 스스로의 눈과 귀에 지폐 다발을 바르며 거부하였고 얼마 지나지 않아서는 지폐 다발이 자연스레 눈과 귀를 감싸려 들었다. 시간이 더 흐른 후 나는 지폐를 묶어 만든 방패를 손에 쥐고 있었다.

죄의식, 그리고 죄책감. 참 오랜만에 되뇌는 단어들이었다. 내가 속한 집단은 아까 되뇌었던 두 단어와 완벽히 동떨어져 있었다. 우리 주의 이름으로 병자들을 운영 자금과 함께 맡기게 한 다음, 치료를 명목으로 그들을 가두어 서서히 병들게 하는 집단. 그것이 죄와 멀어질 수 있다는 것은 지극한 모순이었음에도 우리는 죄를 느끼지 않았다. 우리는 스스로 죄와 멀어지는 모순을 꾀했다.

봄이 오면

　그렇게 보름이 지난 시점, 그때부터 나는 겨우 주에 하루 있는 휴일 꼬박을 나의 회개에 투자했다. 치료원의 별채, 작게 마련된 숙소에서 해가 뜰 때 나와 아이들을 위해 봉사하고선 해가 질 때 복귀했다. 꿈이 있어야 하고 희망을 품어야 하며 때 없이 맑아야 할 어린아이들이 사는 집, 보육원에서. 그때만큼은 누군가의 꿈을 지우고 희망을 앗아가며 지옥에 빠뜨리는 나 자신의 실체에 등 돌릴 수 있었다. 나의 회개는 일주일 내내 사람의 것인지도 당최 알 수 없는 좌절의 비명과 모든 것을 포기하겠다는 엄포를 놓는 이들을 바라보며, 그들과 함께 찢겨가고 있는 인간성을 그나마 돌이킬 기회였다. 주에 고작 하루인 휴식을 마다하고 보육원을 택할 이유는 충분했다.

　아이들에게 아쉬운 이별을 고하고 나면 보육원의 재단이 되는 교회의 예배에 참석했다. 지난 몇 년간 치료소가 가르친 것과 달리 그곳의 십자가는 무척이나 온화했다. 6일간 지은 죄를 명쾌한 용서 속에 씻어낼 수 있다고 생각했다.

　매번 죄를 짓고 매번 용서받으며 지나 보낸 1년은 씁쓰리한 끝맛을 가진 당분 덩어리처럼 쉬이 녹아내렸다.

　"불이야!!!"

　해가 지고 어둠이 깊게 도래하는 쯤의 시간. 예배를 마치고 숙소로 복귀하는 길이었다. 언덕의 정상으로부터 평소에 듣던 비명 따위와는 비교되지 않을 정도로 다급하고 과격한 괴성이

울렸다. 아무래도 급한 일이 생긴 것 같다는 예감을 거둘 수 없
었다. 액셀을 밟는 오른발에 힘을 실었다. 이후 주차장에 도착
했을 때쯤, 운전석의 문을 열자마자 눈알이 따가웠다. 들이마시
고 내쉬는 숨에 섞인 이물감을 인지했고 그 순간 알 수 있었다.
치료소 본건물을 가리는 나무의 가지들 사이를 비집고 나오는
것이 시꺼면 화재 연기임을. 통탄하게도 예감은 정확했다.

　차 문이 찌그러지는 것은 아무래도 좋다는 듯 손잡이를 제자
리로 던졌다. 그리고는 고민할 것도 없다는 듯, 건물을 향해 뜀
박질했다. 치료소 본건물과 연결된 별채의 입구는 눈에 익은 동
료들로 둘러싸여 빈틈이라고는 찾아볼 수 없는 모습이었다. 출
입문을 둘러싼 그들은 눈앞의 광경이 저들이 손 쓸 일은 아니
라는 것처럼 그저 개개인의 소지품만을 품에 안고 미동 없이
서 있었다. 그들과의 거리가 차츰 가까워지자 다리에 밀어 넣었
던 힘을 조금씩 풀어내며 한껏 찬 숨을 폐 깊은 곳에서부터 뱉
어냈다. 이쪽으로 고개를 돌린 몇 명의 동료 중 하나가 말을 붙
였다.

　"선배 물건은 제가 좀 가지고 내려왔으니까 걱정 마세요!"

　'미친놈.' 바삐 호흡하는 와중에 속으로 수없이도 되뇌었다.
숨이 차 입 밖으로 내지 못한 것이 한으로 남을 만큼이나.

　"……여섯, 일곱. 본건물, 병자들은?"

　따가운 눈알을 겨우 돌려 검은 연기의 근원지로 시야를 옮겼
다. 본건물의 최고층, 그렇다고 해봐야 겨우 2층인 병실의 작은

창문들은 화재를 알리는 연기 덩어리들을 울컥 뿜어내고 있었
다.

"선배. 여기 짐이요"

무엇이 자랑스러운 것인지 놈은 뿌듯한 미소와 함께 짐보따
리를 건넸다. 아마도 내 짐들을 모아둔 것이겠지. 상황과 어울
리지 않는 그의 발언에 순간적으로 동공이 흔들렸다. 함께 흔들
린 시야 속의 놈은 징그럽고 기괴한 모습을 하고 있었다. 그는
나와 같은 장면을 보며, 같은 비명을 듣고 있었다. 가령 이 현
장에서 입꼬리를 올릴 수 있다거든 그것은 결코 사람이 아닐
것이다.

"사탄, 사탄이다…. 저건 사람이 아니야…."

경악하며 크지 않은 목소리로 중얼거렸다. 놈이 내미는 보따
리를 무시하고 건물의 뒤편, 본건물의 입구를 향해 달렸다. 이
제껏 웃고 지내던 동료들은 나를 포함 총 여덟 명. 나를 제외한
일곱 모두는 하나 빠지지 않고 각자의 짐을 싸든 채, 별채의 입
구를 차지하고 있었다. 모두 하나같이 남의 일이라는 듯, 불구
경하는 표정을 지으며. 그들의 반응을 보는 순간 나 또한 잠시
나마 본건물 2층에 빼곡히 갇힌 이들의 존재를 잊을 뻔했을 정
도로. 온몸에 돋아나는 소름을 어찌할 수 없었다. 갇힌 이들을
두고 그들을 인간 이하의 존재라 여기지 않는다면 그 어떤 인
간이 그리도 덤덤할 수 있다는 것인가. 병자들은 둘째치고 그들
의 시급 네 배짜리 직장이 시뻘건 불길에게 집어삼켜지고 있는

봄이 오면

데도.

　온종일을 전화조차 터지지 않는 깊은 산속에서 열 명쯤 되는 이들의 대성통곡을 귀에 담거든 그리되는가? 매일 아침저녁으로 듣는 교주의 세뇌가 저들에게 들어먹히기라도 했던 것이었을까? 더 이상 알아내고 싶지 않았다. 아이들을 위해 봉사하며 그들의 웃음에 감동을 느끼고 그들을 보듬는 교리에 몸담은 고작 한 해의 차이가 별채 앞의 그들과 나의 차이가 된다면, 나는 작년까지 입으로 섭취한 모든 것을 뱉어내고 싶을 만큼의 역겨움과 충동을 느끼게 될 테니까.

　복잡한 생각을 비우기 위해, 아이들과 함께 불렀던 동요를 부르기 시작했다. 노래의 간주에 다다르니, 두 발은 어느새 입구의 문 앞에서 제구실을 하지 않고 있었다. 속이 조금씩 역해지고 있음을 느꼈다. 검은 연기의 영향력이 적지 않았다. 그들은 출입문과 바닥의 틈을 비집고 앞다투어 세상에 도달하려 몸부림쳤다. 그 몸부림은 무척이나 역동적이었으며 처절하였다만, 철창 안에 갇혀 죽도록 비명을 지르는 누구의 것에 비하여는 주름 잡을 형편이라 이르기에 무리였다.

　옷 소매를 있는 대로 끌어당겨 손바닥에 감고는 쇠로 된 문의 손잡이를 강하게 쥐어 밖으로 젖혔다. 순간적으로 뿜어져 나오는 열기에 정신이 혼미해지는 것 따위는 당연한 수순이었으며, 동시에 기관지를 긁고 솟아오르는 마른기침에 목이 다 아팠다.

봄이 오면

가까스로 정신을 붙잡으며 출입문의 옆, 한쪽 벽면에 몸을 뉜 채 2층으로 향하는 계단을 올랐다. 고배를 마시듯 천천히, 그리고 고통스럽게 오르는 계단의 경사는 체감상 절벽에 이를 지경이었다. 나름대로 이를 악물고 닫은 입술을 뒤로한 채, 코를 통해 후두를 찍어누르며 몸속으로 들어오는 연기의 양이 늘어나자 갓 시작된 현기증의 증상은 급속도로 사람의 몸을 망가뜨렸다. 잔머리를 굴리거나 허튼 수를 부릴 새가 없었다.

두세 번 이상을 고꾸라지며 오른 열 몇 개의 계단을 뒤로하고 계단과 가장 가까운 병실, 죽을힘을 다해 유채아의 병실로 향했다. 고개를 들었다. 연기를 정통으로 맞는 이목구비의 주인이 안쓰러울 정도로 그 기세는 무서웠다. 문에 뚫린 철창 너머로 침대에서 이불을 뒤집어쓴 그녀는 미동 없었다. 기절한 것인지에 대한 여부는 당장 따질 것이 아니었다. 머리를 철창에 갖다 박은 채로 주머니를 뒤지며 혹시 그녀의 의식이 아직 붙어 있을까 하는 마음을 담아 간절히 외쳤다.

"채아, 유채아!!!"

열쇠 꾸러미를 끄집어내어 210호의 것을 찾아내고 그것을 문고리 중앙의 구멍에 끼워 넣어 돌리는 것까지는 채 몇 초의 시간이 소요되지 않았다. 정신없이 철문의 동그란 쇠 손잡이를 잡아 돌릴 때쯤, 살갗을 찢는 듯한 고통이 손가락의 마디 여러 개와 손바닥의 상부를 집어삼켰다. 그것이 가득 머금었을 열기를 잊은 채 쇠로 된 문고리를 잡은 탓이었다. 온전히 느낄 틈 없이 넓어져가는 고통은 전신의 신경을 마비시키는 듯했다.

철컥, 하는 소리가 한 쪽 귀의 고막을 타고 흐르기 무섭게 나는 병실 안으로 자지러지며 참아낼 수 없는 통증에 절규했다. 건물의 밖에서 들었던 누군가의 것들과 비슷한 음성이었다.

지체할 시간이 없었다. 바닥을 기듯이 하며 이불 너머로 보이는 그녀의 형체 가까이에 도달했다. 멀쩡한 손을 들어 이불을 젖혔다. 그녀는 미동하지 않았다. 아무래도 하는 수 없이 연기를 들이키다 끝끝내 기절한 것으로 보였다. 이불을 온몸에 둘둘 만 채로 정신을 잃은 유채아를 이불 째 들어 올려 그대로 들쳐 멨다.

어느새 출구를 지나 주차장을 향해 달리고 있는 것이 건물에서 유채아를 들쳐멘 이후의 첫 기억이었다.

"야! 누구 맘대로 데리고 나가!!"

주차장으로 병자를 둘러업고 내달리는 모습이 별채 앞에 선 그들의 눈에는 일개 무단이탈로 보이기라도 했을까. 날카로운 여성의 목소리. 내 사수였다. 사수의 목소리에 위기를 느끼기라도 한 것인지 주차장을 향하는 뜀질은 더욱 격해졌다. 시야가 채 닿지 않는 뒤통수 너머로부터 거센 발걸음이 들렸다. 이로써 확신할 수 있었다. 그들의 면전에 대고 내가 외쳤던 바와 같이, 그들은 사탄이었음을.

건물과 주차장 사이의 거리는 그리 멀지 않았다. 차량의 뒷좌석에 그녀가 담긴 이불을 집어넣고 운전석에 올라 시동을 걸었

다. 이 모든 과정에서 나는 어떠한 경우에도 뒤돌아보지 않았
다. 엔진 소리가 어느 때보다 다급하고 우렁차게 울렸다.

　끔찍했던 과거가 무색하도록 이후의 삶은 더욱 가혹했다. 역
겨운 곳에서 구역질 나는 사건을 겪었다 한들 유채아의 존재
하나를 마지막 남은 나뭇가지 삼았기에 나는 겨우 나무에 매달
릴 수 있었다. 늦은 아침을 먹고 네가 묻힌 납골당으로 향하려
했던 계획은 한순간에 무산되었다. 한심한 인간성의 품에서 자
란 딱한 애정이 지우지 못한 기억을 되짚음으로써. 지체없이 달
려갔던 것은 병자를 구하기 위한 인간성이었다 하나, 나 또한
죽음에 다다를지도 모른다는 두려움은 결국 인간의 욕망 따위
인 애정 앞에서 작아졌다.
　나는 한없이 이기적이었다. 사실만을 짚어볼 때, 나와 별채
앞 동료들의 사이에는 별 차이가 없었다. 그들은 저들의 욕망이
되는 물질을 구할 뿐이었으며, 나는 나의 욕망 따위를 버릴 수
없을 뿐이었다. 그럼에도 나는 그들과 다르다며 치료소에서의
나날들을 모조리 외면했던 사건 속 스스로의 발상에 빈속이 다
울렁거렸다. 간단한 아침을 차리려던 손은 이내 국그릇을 내려
놓았고 나머지 하나의 손은 냄비 뚜껑을 제자리로 두었다. 손잡
이에 쓸리는 손바닥이 다시금 화끈거리는 듯했다.
　무언가를 속에 넣기에는 글렀다며 한 단계 과정을 생략하고
서 채비를 시작했다. 간단한 세안을 시작으로 어제 미리 꺼내

둔 검은 정장 차림을 하고, 부지런히 닦아 코에 광을 낸 구두를 신었다. 현관문을 열기 전, 신발장의 거울으로 비추어 보는 나의 모습은 추했다. 백화점에서 할부를 부탁하며 구매한 수트와, 휴대폰 두 대 값을 투자한 구두로 본래의 모습을 가린다 한들 사탄은 사람이 될 수 없었다.

분노가 치밀었다. 매주 회개했음에도, 매주 신의 앞에 모습을 보이며 그의 교리에 따라 봉사했음에도 나는 진작에 사탄이었으며, 영영 용서받을 수 없는 존재였음을 너무 늦은 뒤에야 알아버린 것이었다. 손에 들려있던 국화다발을 차가운 현관 바닥에 내려놓았다. 욕망에 눈 먼 사탄은 언제나 제 욕망에 따라 움직이기 마련.

한때, 인간들의 감정이 가득 섞여 있었던 집. 큰 마찰음과 함께 현관문은 굳게 닫혔다. 이내, 그때의 사건에서와 같은 엔진음이 광활히 울려퍼졌다.

고향의 우리집보다 익숙할 법한 교회의 입구에 도달하고 아무렇지 않게 주의 앞에 서왔음에도, 하나의 주일조차 빠지지 않고 찾던 길목의 장소임에도 같은 이의 같은 발걸음을 대하는 공간의 공기는 여느 때의 것이라 할 수 없었다. 이곳의 중압감은 언제라고 존재했으며, 이곳에서의 호흡은 그 어느 때라고 쉽지 않았던가.

평소와 여러모의 차이를 보이는 곳의 시간은 그저 흘려보낼 필요가 없었다. 시간의 흐름이 지워널 압력이 아니었으며 연습을 통해 안정시킬 수 있는 호흡이 아니었다.

하는 수 없다는 생각과 함께, 나는 단숨에 손잡이를 잡고 내친김에 당겼다. 그대로 주의 공간에 발을 들였다. 달라진 것이라곤 하나 없는 공간에 들이는 몸은 어색함에 제자리를 지킬줄 몰랐다. 오전 예배 시간을 한참 넘기고 오후 예배 시간을 한참 남긴 예배당의 내부는 쥐 죽은 듯이 조용했다. 조용함 너머의 고요함을 부수는 발걸음 소리는 어느 때보다 그 공간과 이질적이었으며, 고민 없이 자아낸 이질감은 머지않아 예배당 전체를 메웠다.

주의 단상 앞에 도달하기까지 많은 시간은 필요하지 않았다. 어느 때보다 가까워진 그의 형상은 한낮 인간의 기운을 압도하기에 충분했다. 하지만 그 어떠한 환경이 닥치더라도 제 모습을 쉬이 감추지 않는 것이 바로 인간의 감정이었기 때문에.

"신이시여, 난 당신께 나의 청춘을 드렸음에도"

무릎을 꿇었다. 그저 끓어오르는 감정을, 그저 신이라는 이름 앞에 쏟아내고 싶을 뿐이었다. 금방이라도 울음을 토해내고 싶다는 목소리가 나와 우리의 주를 불러내기 시작했다. 회신 따위는 존재하지 않아도 좋다는 듯이.

"신이시여, 나는 회개만을 바라며 당신께 끝없이 용서를 빌었음에도"

또 한 번 주를 불러내는 목소리에는 직전에 느낄 수 없었던

봄이 오면

점도의 울음기가 섞여 있었다. 자그마한 불씨가 산소에 일렁이
는 듯했다. 저를 얹은 공기가 좌와 우, 그리고 위와 아래로 흩
날릴수록 더욱 불어나는, 그저 영락없는 불씨의 모양새였다.

"신이시여. 왜 나를 두고 뒤돌았습니까. 당신은 어째서!"

바람이 불었다. 일개 불씨는 이내 불이 되어 타올랐다. 나는
절규했다. 나의 머리는 가슴에 참패하였다는 듯, 거대한 공간을
공백없이 채우며 웅웅 소리를 내고 울리는 고함을 중재하지 않
았다. 불길은 곧이어 모든 것을 집어삼키기 시작했다.

그 어느 곳보다 신성해야 할 장소 가득, 인간의 탈을 쓴 사탄
의 절규가 울렸다. 이내 그의 앞으로 수많은 질문을 거침없이
나열했다. 제자리를 찾지 못해 정처 없이 머릿속을 뒹구는 것들
이었다. 신의 앞에서 보일 수 있는 최대한의 발악이었으며 최소
한의 이성만이 깃들어 있는 발작이었다. 당신은 어째서 부적합
한 모습으로 나의 앞에 나타났으며 어떠한 이유로 제대로 된
모습을 보이기 시작했고 왜 결국 나의 믿음을 산산조각 냈으며
나의 모든 것을 저버렸는지,

"당장 끌어내라!"

예배당의 입구로부터 들리는 낮고 묵직한 남성의 목소리가
저물어버린 파동을 일깨웠다. 기본적으로 낮으며 단전에서부터
울려 퍼지는 듯 풍성한 목소리의 주인을 짐작하는 것은 어려운
일이 아니었다. 그는 주의 대리인, 목사였다. 그의 호령이 떨어
지자 두어 명으로 추정되는 남성들의 성난 발걸음 소리가 고막

을 파고들었다.

이내 나는 그들의 손에 이끌려 이곳을 떠날 테지만 나의 시선은 여전히 주를 향하고 있었다. 일말의 양심 같은 것들이 치솟았다. 수치스러움과 자괴감 같은 것들이 가슴 중심에 욱하고 피어났다. 아마도 인간의 분장을 하며 살아오는 동안 얼굴에 남은 조금의 얼룩과도 같은 것이었다.

머지않아 고막으로 마주했던 남성들을 온몸으로 느꼈다. 나는 작지 않은 체구였음에도 그들의 제압에서 몸부림칠 수 없었다. 그 이유는 내가 이 상황에서 도피하는 것 따위 진작 포기하고 있기 때문이었을까. 그것이 아니라면 강압적이고 빈틈없어 보이는 그들의 집행에서 과거 내가 지었던 표정을 읽을 수 있기 때문이었을까.

그들의 제압, 목사의 명령, 그리고 신의 뜻에 그저 온몸을 맡길 뿐이었다. 그 어떤 이에게도 너그러우리라 생각했던 주의 뜻은 결국 사탄이 된 이의 앞에서 등 돌렸다.

그간의 거처로 돌아가고 싶지 않았으며, 그 외의 장소라고는 그다지 마땅한 곳이 없었다. 더 이상 발을 들일 수 없는 주의 공간을 뒤로하고 달리는 자동차 속에서 나의 목적지는 점차 모호해지고 있었다. 발이 밟는 대로, 손이 움직이는 대로 차를 몰았다. 향할 수 없는 곳을 하나둘 찾아내던 의식과는 달리, 무의식은 그 반대의 장소를 찾을 수 있었다. 무의식이 몰아간 차량

이 어느새 바닷가 앞 모래사장 위에 있었던 만큼이나.

겨울 바다 명소는 이곳이 아니라는 듯, 사람 없는 사방은 머릿속을 어지럽히지 않아 나름대로 만족스러웠다. 고민 없이 차 문을 열어젖히고 그대로 바다의 내음을 만끽했다. 들어오는 숨의 비릿한 바다의 흔적만을 머금고 돌아나가는 숨에 나머지를 내어 보냈다. 텅 비어버린 심장이 시원한 내음으로 정돈되는 듯했다.

문 열린 차량 내로 바람이 불어 시트 위로 까끌한 모래가 덮였다. 하지만 나쁘지 않았다. 불순물이 휩쓸려 나간 자리에는 잔해물이 남기 마련, 당연한 인과관계 이상의 것으로 보이지 않았다. 불순물은 잔해가 쌓인 차량으로부터 점차 멀어져가고 있었다.

바다는 넓고 푸르렀다. 흰 배경 속 붉은 무늬가 새겨져 있거나, 분홍색의 배경 속 얼룩덜룩한 무늬가 흩뿌려져 있던 내 일생의 수많은 장면과는 사뭇 다른 모습이었다. 눈앞에 펼쳐진 바다는 나의 새로운 배경이 될지도 모르겠다는 생각이 뿌리를 내렸다. 흰 배경에 살 적 고통받았기에 부드러운 분홍빛을 찾아 도망쳤고, 부드러움에 고개를 들 수 없는 나는 이제 새로운 배경을 찾고 있었다. 부드러움과 대조되도록 날카롭고 차가운 겨울 바다는, 어쩜 내가 필요로 하는 새로운 배경이었음을 나의 의식은 이제야 인식한 것이었다.

겨울 바다. 이것이 나의 새로운 배경임을 이제야 알았다. 길

봄이 오면

거리 중심을 차고앉은 봄은 아직 바다에 도달하지 않은 채로, 가깝지 않은 곳에 머물러 있었다. 나는 봄을 마주하고 싶지 않았다. 겨울 바다. 나는 봄의 빛깔이 존재하지 않는 새로운 장면 속의 사람이 되어야 했다.

한껏 가벼워진 발을 들어 구두 속의 쿠션을 즈려밟았다. 무거운 구두는 힘없이 무너지는 모랫바닥을 뭉개며 나아갔다. 바다의 내음이 서서히 짙어지고 있었다. 비릿한 향기는 진해졌을 때가 되어서야 그 진가를 드러냈다. 등 뒤로 이어지는 발자국들은 먼 곳에서도 훤히 보일 듯 선명했다. 머리에 남은 과거의 흔적과도 같았다.

어느새 구두의 코는 짠 내 나는 물기에 젖어있었다. 나는 서둘러 발에 힘을 주고 양발을 가둔 가죽 구두를 벗겨냈다. 새로운 배경을 마주하는 첫발만은 진정 나의 것이 되어야 했다.

눈을 감고 바닷물 속으로 발을 담갔다. 이미 발 들인 장면에 혹시나의 가능성 속 존재할지 모르는 홈 따위는 두 눈에 굳이 담고 싶지 않았다. 바다를 가르고 새로운 장면으로 파고드는 몸이 얼음장 같은 겨울 바다를 느꼈다. 바다의 찬기가 하체를 시작으로 온몸으로 퍼져나갔다. 사지육신 속의 모든 것을 가르고 나가는 냉기에 굳건했던 전신이 부르르 떨리는 듯했다. 양손이 바닷물에 모두 담겼을 때쯤에는 반사적으로 멀어지는 눈꺼풀에 다시금 질끈 눈을 감았다.

봄이 오면

머지않아 자연스럽게 눈이 뜨였다. 영원히 열리지 않길 바랐던 눈꺼풀은 나의 의지 따위 신경 쓰지 않는다는 듯 굴었다. 열린 눈꺼풀 사이, 나의 시야로 들어오는 것은 그저 하얀 공간이었다. 색을 가진 무언가를 찾기 위해 분명 고개를 사방으로 휘저었으나 시야 안의 모든 것은 조금의 움직임조차 허락하지 않았다. 어떠한 나의 움직임 또한 일말의 변화에 대한 기여가 될 수 없었다.

무엇도 존재하지 않으며 그 무엇도 알아낼 수 없는 공간이 선사하는 감상은 단순한 혼란스러움을 넘어 인간의 공포심을 자극하고 있었다. 두 가지의 감정만이 압도한 머릿속이 조금씩 아려올 즈음, 하얗게 질린 시야 속으로 걸어들어오는 한 남자가 보였다.

시야 속의 남자는 내게 필요 이상으로 익숙한 존재였다. 그의 얼굴에 달린 이목구비는 나의 것과 다를 바 없었으며, 그의 전신에 걸린 옷가지는 치료소에서의 사건 이후 내가 한 치의 망설임 없이 불태웠던 것과 놀랍도록 같았다. 또한 그의 오른손등을 차지한 기다란 흉터는 그 시절 병자와의 육탄전에서 얻을 수 있었던 나의 전리품이었다. 이로써 확신할 수 있었다. 시야 속의 남성은 과거의 나 자신임을.

그는 공간의 좌측에 멈춰 섰다. 그리곤 바지 주머니 속 금색 손수건을 꺼내어 미련 없이 제 시야를 가리도록 스스로의 머리통에 감고 그대로 매듭지었다. 하얗게 질린 공간 속에서 손수건을 가득 채운 금빛은 소름 돋게 빛났다.

　남자에게 쏟던 시선을 조금 거두어내었을 때, 공간 우측에 있는 다른 이들의 존재를 인지할 수 있었다. 그들의 수는 열에 가까웠으며, 그들은 서로를 서로의 방패 삼아 우르르 몰려 있었다. 모든 이의 얼굴 생김을 한눈에 알아볼 수 없는 이유였다. 그들은 시야 좌측의 남자처럼 익숙하지 않았으나, 낯설다 치부하기에는 오류가 있을 집단이었다. 그들의 피부라고는 생기를 잃은 가죽에 불과했으며 힘없어 보이는 사지는 인간으로서의 최소한 발악과 거동, 그 이상을 할 처지로 보이지 않았다. 그나마 생기를 보이는 것이란 심연의 밑바닥까지 살기 서린 듯한 두 눈동자뿐. 그들은 도무지 인간으로 분류될 수 없으리라고, 감히 자신할 수 있었다.

　공포에 떠는 듯 서로에게 지탱하며 한데 모여있는 이들과 대비되도록 남자는 무엇 하나 꿇릴 것이 없다는 듯 미소 짓고 있었다. 또한 그는 마치 멀쩡히 앞을 보고 있는 것처럼 자신 있게 삼 보 전진한 후 그대로 멈춰 섰다. 그의 몇 보 되지 않는 전진에도 그들의 표정은 누구더러 보라는 듯 노골적으로 구겨지고 있었다. 이내, 제자리에 우뚝 선 채 잠시 멈추어 있던 그는 제 오른 주머니에 손을 꽂아 무언가를 찾는 듯 주머니 속을 헤집었다. 길지 않은 시간의 공백 이후, 그가 끄집어낸 손에는 저 작은 바지 주머니에 담을 수 없는 장검이 쥐어져 있었다. 빛을 마주하기 시작한 검의 날은 소름 끼치도록 빛나는 그의 금빛 손수건과 닮아있었다.

흔들리는 검날 위로 번쩍이는 빛이 동공에 닿았다. 동시에 공간에 울리는 비명은 분명 그들의 것이었다. 나 또한 침묵하지 않았다만 공간에 울리는 것은 오직 그들의 비명뿐이었다. 그는 개의치 않는다는 듯, 찢겨 올라가는 입꼬리와 함께 진보했다. 직감만으로도 어렵지 않게 찾아낼 수 있는 그들의 비명을 환호로 인지하는 것처럼 무자비하다 못해 잔인한 행동을, 그는 서슴지 않았다. 그의 한걸음에 그들은 절규했고 그의 이어진 걸음에 그들의 곡성은 멈추지 않았으나, 열에 가까운 인원의 스물 가까운 발은 자리를 뜨지 않았다. 발은 제자리에 두고 있으나 그들의 상하체가 조금씩은 뒤를 향하는 것이, 아무래도 그들은 발을 뗄 형편이 아닌 것이었다.

눈길을 돌릴 새 없이 그의 장검은 공기를 가로지르고 모두의 호흡과 모든 흐름을 주도하기 시작했다. 눈을 가린 손수건은 제 역할에 게으르지 않았다. 목표물을 찾지 못하고 마구잡이로 휘둘리는 장검은 그의 시야가 완전히 마비되었음을 이르는 증명이었다. 허공에서 이어지는 검로가 그들을 위협했다. 수십 개의 검로가 산산이 흩어진 후, 그제야 그의 검은 목표물에 닿을 수 있었다.

검날은 무리의 선두에 서 있던 이의 오른 어깨부터 왼 옆구리까지를 한 번에 질렀다. 목표물은 이내 목이 찢어져라 소리를 내질렀다. 지금껏 들어봤던 절규 중 가장 인간과 이질적이었을 만큼의 기괴함이 묻어난 곡성이었다. 한도에 치달은 음성은 곧이어 귀에 담기 거북한 탄식으로 변질되기 시작했다.

검이 지른 직선은 그 깊은 속으로부터 피어나는 검은 연기를 뿜어냈다. 이런저런 먼지가 뒤섞인 듯 뿌연 연기는 아마도 스모그의 모습에 가까울 것이었다. 길지 않은 시간 뒤, 점차 짙어지던 스모그는 검에 그인 이의 형체와 함께 검은 먼지가 되어 바닥으로 무너졌다. 하지만 그를 둘러싸고 있던 집단의 이들은 눈을 감아 눈앞의 참사에서 잠시 도망칠 뿐이었다. 어떠한 감상조차 드러내지 않았다. 마치 전쟁터에서 전우를 잃은 장군처럼. 사방을 가로지르는 검보다 충격적인 광경이었으며, 당장의 사건보다 눈에 담기 괴로운 장면이었다.

방금 사라진 이를 뒤로하고 그의 검날은 멈추지 않았다. 끝없이 방향을 고치며 허공 속을 방황했다. 그의 검이 모두를 베어내기까지 긴 시간은 필요하지 않았다. 처음 검이 닿기까지보다, 하나를 제외한 집단 전원을 베어내기까지의 시간이 짧았다. 그것은 많은 의미를 담고 있었다. 마치 치료소의 일원이었을 적, 첫날 고민을 요구했던 일을 머지않은 날에는 별다른 감각 없는 일상으로 느꼈던 나의 과거와 비슷했다. 나 자신의 치부가 떠오르는 것이 썩 불쾌했다.

도미노 무너지듯 스러진 아홉 사람의 잔해가 하나둘 시야 하단으로 고꾸라졌을 때, 그제야 나는 익숙한 얼굴 하나를 더 인지할 수 있었다. 모두 베어낸 줄만 알았던 검이 채 건들지 않았던 한 사람.

"채아야……."

안타깝게도 미처 음성이 되지 못한 탄성은 그저 입안에서 맴돌 뿐이었다. 다정한 신을 찾았던 이유, 불길 속에 몸을 던졌던 이유, 나 또한 사탄임을 인정했던 이유, 신의 앞에 꿇어 울부짖었던 이유, 봄을 피해 겨울로 돌아온 이유. 그 모든 순간의 이유였던 그녀가 서 있었다. 그토록 사무치던 얼굴이었다. 당장이라도 달려가 늦지 않도록 품에 담고서 그대로 잠에 들어 두 번 다시 깨어나고 싶지 않았다. 하지만 그녀가 마주한 것은 나의 품이 아닌 그의 검 끝이었다.

가만둔다면 그의 검은 유채아를 베어낼 것이라는 판단은 너무나도 당연한 사고였다. 죽을힘을 다해 그와 그녀의 앞으로 내달렸지만, 나의 시야 속 모든 것은 그대로였다. 그 어떤 것도 미동치 않았다. 이곳에서 눈을 뜨면서부터 느꼈던 이 공간과 나 사이, 괴리의 골이 순식간에 깊어졌다.

가차 없이 이어진 그의 마지막 검로는 끝내 그녀의 머리카락을 그었다. 그 즉시 몇십 가닥은 되어 보이는 머리칼이 힘없이 떨어졌다. 또한 검과 그 주인은 그녀의 머리칼에 검날이 닿은 순간 제자리에 우뚝 선 채로 돌처럼 굳어있었다. 이후 금빛 손수건의 매듭은 뒤에서 누군가 잡아당기기라도 한 듯 부자연스럽게 풀리더니 그대로 힘없이 떨어졌다.

그는 시야가 갓 트인 탓에 눈을 두어 번 깜빡인 후에야 눈앞

봄이 오면

의 그녀를 제대로 응시하기 시작했다. 순간적으로 온몸에 힘이 풀린 것처럼, 그는 손에 쥐고 있던 검을 떨궜다. 그것이 바닥에서 나뒹구는 것에 동요하지 않으며 제자리에 그대로 주저앉았다. 그는 금빛 손수건에 눈과 귀를 맡긴 채, 자신이 저지른 흔적들을 보며 스스로마저 이제야 상황을 이해했다는 듯 굴었다.

어느새 눈물이 고인 그의 두 눈을 두고 그녀는 움직이기 시작했다. 저를 향하는 검날의 방향 따위 신경 쓰지 않으며, 떨어진 모습 그대로의 검을 들어 올렸다. 자칫 손이 미끄러진다면 그 검은 제게로 향할 것임이 분명했음에도 그녀의 행동에 망설임 따위는 존재하지 않았다. 그리고 결국에 그 검날은 누군가 손 쓸 틈 조차를 내어주지 않으며 그녀의 명치 깊숙이를 한 번에 파고들었다. 가히 충격적인 모습에 그는 전신이 마비라도 된 것처럼 검은 연기를 뿜어내는 그녀를 그저 바라보기만 하고 있었다. 정신을 애써 붙잡은 그가 손을 뻗어 그녀에게 닿으려 했으나, 때는 이미 그녀의 전신이 산산조각나 마치 먼지처럼 일고 있을 즈음이었다.

상체의 중심부에서 스모그가 뿜어져 나올 때라도 그녀의 아직 남은 다리에 매달렸다면, 그는 그나마 그녀를 지킬 수 있었을까? 부질없는 질문이었다. 그녀의 털끝을 건들고 무너진 그의 검은 유채아가 그나마의 시간을 더 살아가게 했다. 하지만 결국에 나와 닮은 그는 치료소의 병자, 그 모두를 베어냈다.

그랬다. 그의 행동거지 하나하나에 전신을 떨 수밖에 없었던 집단은 다름 아닌 치료소의 이들이었다. 남은 것이라고는 저 자신과 눈앞에 놓인 검이 전부인 그는 무너졌던 자세 그대로에서 바닥에 머리를 처박고 세상 모든 것이 사라진 사람처럼 울부짖었다. 하얀 배경 속의 몇 되지 않는 이들만이 존재했던 이유, 애초에 그는 주변의 풍성한 것들을 스스로 거두어내고 금빛 손수건, 검, 그리고 병자들을 비롯한 치료소의 모든 치부를 얻고 수용했기 때문이었다.

하얀 배경 속, 그들의 극은 내가 먹칠한 나의 과거를 노골적으로 질책하고 있었다. 모든 일을 내 선택 하에 저지르며 신께 빌붙어 모든 것을 합당케 여기려 들었다. 결국에는 신에게도 버림받은 어리석은 자의 모든 만행은 수없는 비판과 비난 속에 잠식되어 마땅했다.

여전히 시야는 멈춰있었지만 나는 그를 따라 무릎 꿇었다. 저지른 모든 것에게 머리를 조아리고 끝없는 사죄를 비는 것만이 최소한의 인간다움이라고 생각했다. 그대로 눈을 감았다. 감긴 눈앞으로는 아무것도 보이지 않았다. 이것이 바로 모든 만행 속 내가 바랐던 시야였음을 너무 늦은 후에야 깨달을 수 있었다.

눈을 감고 몇 초의 시간이 흐르기는 했을까. 다시 두 눈을 떴을 때, 나의 몸은 날카롭게 출렁이는 바다의 파도에 밀려 모래사장 위에 있었다. 피부가 물에 불어 몸이 무거워진 것을 보면 내가 바다에 뛰어든 것은 그리 얼마 되지 않은 일이 아니었다.

봄이 오면

나의 배경은 분명 붉게 얼룩진 흰색의 공간이었다. 나의 머리로 는 진작 두 번이고 옮겼다지만, 그저 나의 착각일 뿐이었다. 한 껏 물을 머금어 무거워진 옷가지와 몸을 힘겹게 일으켰다. 그나 마 멀쩡한 가죽 구두에 더러워진 발을 밀어 넣었다. 반질한 가 죽 시트에 모래가 쌓인 자동차까지의 거리는 그리 멀지 않았다. 잔뜩 젖은 옷이 가죽 시트 위 모래로 더욱 엉망이 되는 것은 아무래도 중요하지 않았다. 그렇게 또 한 번, 자동차의 엔진음 은 광활히 울려 퍼졌다.

불안감에 액셀을 눌러 밟았던 그때 이후로는 결코 발을 들이 지 않았던 곳을 다시 찾게 될 줄이란 꿈으로라도 예지할 수 없 던 일이었다. 사건의 이후로는 인적이 아예 끊겼던 것인지 그렇 지 않아도 곱지 않던 비포장도로의 모습은 옛 기억을 떠올리기 에도 벅찰 만큼이나 망가져 있었다. 과거 인적을 숨기려는 듯, 길의 중간중간에 놓인 돌무더기들을 피하고 치워가며 움직였기 에 산의 입구를 지나 주차장에 도달하기까지는 꽤 긴 시간이 필요했다.

차에서 내려서야 제대로 마주할 수 있었던 그 시절의 악몽에 대한 감상은 다음과 같았다. 숲으로 둘러싸인 덕에 푸른 내가 나는 공기와 신경이 거슬리도록 신발 속을 탐내는 작은 자갈들 은 어느 하나까지도 옛적의 모습 그대로를 유지하고 있었다. 주 차장을 지나 두 개의 건물을 보았을 때, 순간적으로 턱하고 숨이 막혔다. 그 와중에 풀리는 다리의 힘을 가까스로 잡아냈음이 가상할 정도였다. 시꺼멓게 불타버린 두 채의 건물은 일그러진 얼굴을 하고 있었다.

기억이 나는 대로 걸어 그날의 출입구 앞에 다다랐다. 유리문의 쇠 손잡이를 잡았다. 느껴지는 것이라고는 자연스러운 냉기뿐이었음에도 손바닥을 덮은 넓은 화상 자국이 열을 내며 쓰라려 왔다. 문제가 있나 싶어 확인까지 했으나 손바닥의 흉터는 내가 아는 그대로에서 크게 벗어나지 않은 모습이었다.

환상과도 같은 통증을 느끼며 알 수 있었다. 이곳은 발들일 수 없는 곳임을. 이곳을 거처로 하는 영혼들은 바다에서 꾸었던 꿈속의 집단일 것이었다. 죽고 나서까지 인생의 원수를 만나게 한다는 것은 아무래도 필요 이상으로 가혹한 처사였다. 또한 지금 그들은 환상으로써 나의 출입을 한 번 거절했다 하여도 과언이 아닐 테니, 나의 출입은 아무래도 그들에게 휘두르는 또 하나의 겁날일 것이었다. 인정한다는 듯이 손잡이를 놓고 제자리에 무릎 꿇었다. 실로 만날 수 없다 하더라도 그들의 앞에서 뒤늦게나마 빌어보는 최소한의 사죄이자 그들을 위한 명복이었다.

그들이 바랐던 자연광 속의 내일을 그들의 삶 속에서 가차 없이 썰어내었음에 고개 숙였다. 하늘이 되었든 바다가 되었든 나의 배경이 푸르러지기를 바라며 뛰어들었던 바다에서 내가 살아 돌아온 이유였다. 내가 앗아간 그들의 내일을, 나는 살아야만 했다. 어떤 배경 속의 삶이 되더라도 도피하지 않고 그저 묵묵히, 그들을 대신하여 살아가는 것이 내가 빌 수 있는 최소한의 참회임을 나는 이제서야 알아챌 수 있었다. 건물의 입구를 앞에 두고 머리를 조아렸다. 또한 다짐했다. 그들에게서 빼앗은 나날들은 그저 그들을 위해 후회하고 반성하며 살아가기로.

마지막 한 번의 배(拜)를 마지막으로 백 팔 배를 완성한 나의 머리에는 한 가닥의 머리털조차 존재하지 않았다. 나는 여전히 신의 존재를 필요로 했으나 십자가와의 재회는 끔찍한 일이었다. 미련 없이 머리를 밀고 출가하였던 것도 어느새 4년 전의 일이다. 평생을 참회 속에서 올곧게 살고 싶었던 나의 바람이 빚어낸 결과물에 가까웠다.

누군가의 삶을 끊어낸 이가 부처의 가르침을 받는다는 것은 인지부조화를 불러일으키는 경우였지만, 그런 이가 속세를 누리며 그들을 대신해 무언가를 즐긴다는 것은 더욱 부적절한 일이라 생각했기에 산을 오르던 4년 전 나의 발걸음은 무겁지 않았다. 방석 위에서 숨을 한 번 돌리고 일어나 부처께 인사드린 후에 대웅전의 문을 열었다. 법당의 문이 닫히기 무섭게 들려오는 어린 목소리는 다음 목적지를 향하려는 걸음을 말렸다.

"명유 스님!"

어린 동자승이 가볍게 인사했다. 명유(明蕤). 지혜를 담은 꽃이라는 의미로 4년 전 주지 스님의 고심 끝, 탄생한 나의 법명이었다.

"무슨 일이십니까, 스님?"

부드러운 어조의 대꾸가 돌아오자 동자승은 자신만만한 목소리를 뱉으며 작은 손을 내밀었다.

"오늘은 저와 꽃구경을 하시기로 어제 약속하셨던 것을 잊지 않으셨지요?"

아차 싶었다. 어제도 이맘때의 시간쯤에 나를 찾아와 꽃구경을 제안했던 동자승의 모습이 떠올랐다. 오늘은 힘들다며 내일을 기약하고서는 새까맣게 잊은 스스로가 우스웠다. 이 순간만을 종일 고대하였을 동자승의 어린 마음에 괜스레 미안할 지경이었다.

벚꽃으로 뒤덮인 산, 나의 절은 그 속에 존재했다. 어린아이나 나이 든 노인이나 끝없이 눈에 담고 싶어 할 가경(佳景)이 절의 사방으로 펼쳐져 있었다. 진심을 삼키고 당연히 잊지 않았다는 듯 고개를 끄덕였다. 또한 동자승의 작은 손을 가볍게 쥐었다. 손바닥의 화상이 아이의 손 전체를 감았다.

"종일 기대하고 있었습니까?"

아이는 당찬 목소리로 대답했다. 그의 근심 없는 미소가 햇빛에 빛났다. 우리는 빠르지 않은 걸음으로 절 밖의 동네 한 바퀴를 돌기 시작했다.

생각해 보면 지난 나의 4년의 배경은 정말이지 다채로웠다. 보통의 사람들은 모두 이러한 배경을 등지고 살아간다는 것을

봄이 오면

보여주기라도 하는 듯이. 형형색색으로 다채로운 현재의 배경이 또다시 삭막한 단색으로 변질되지 않기를 바라는 마음만을 절실히 빌었다. 그리고 여러 색채가 오고 가는 배경 속에서, 나는 그간 버릴 수 없었던 배경에 대한 집착을 말끔히 털어냈다.

또한 제대로 된 모습을 되찾은 정신은 한 계절에 대한 혐오를 관두었다. 이제 나의 봄은 벚꽃이 휘날리는 계절이며, 유채아를 비롯한 그날의 피해자들을 위한 눈물 몇 방울을 떨구는 나쁘지 않은 계절이다. 비록 봄을 즐기며 서로의 입술을 나눌 연인 따위 존재할 수 없는 미래이지만, 아무래도 만족스러웠다.

조금 작은 나무에 달린 꽃을 멍하니 바라보던 동자승의 머리 위로 두어 개의 빗방울이 떨어졌다. 그는 멍한 표정을 유지하며 하늘을 향해 고개를 젖혔다.

"스님! 비가 옵니다!"

봄비가 동자승의 머리를 시작으로 벚나무, 벚꽃, 그리고 내 머리 할 것 없이 그 위로 추락하며 봄이 시작되었음을 알렸다. 모두가 진작 알고 있던 소식을 뒤늦게나마 아는 것이 꼭 나의 과거를 돌아보는 듯했다. 동자승의 머리를 손으로 가려주며 나는 미소와 함께 제안했다. 봄이 오면 나무는 꽃을 피우고, 벚꽃이 피면 하늘은 봄비를 내리며, 봄비가 내리면 나는 봉안당을 찾는다.

"작은 스님은 봄이 오면 꽃을 구경하지요? 이 스님도 작은 스님처럼 봄이 오면 하는 행동이 있습니다."

봄이 오면

동자승은 고개를 갸웃거리며 그것이 무엇이냐는 질문을 망설이지 않았다.

봄꽃의 내음이 반가웠다.

그곳에서 내가 너를 처음 만났던 날. 그때의 그 기억은 오 년 반이 흐른 지금까지, 조금도 빛바래지 않았다.

봄이 오면

봄이 오면

작가의 말

대표 작가 민예원
대표 작가 정해윤

대표 작가 민예원

안녕하세요! 필명 염송, 본명 민예원입니다.

<망각의 숲> 이후로 다시 <나비 도서관>으로 뵐 수 있게 되어 정말 기쁩니다.

처음으로 글쓰기 모임을 개설하고 운영을 하며 12월 23일부터 급작스럽게 시작한 출판 작업이 이렇게 무사히 완성되었네요. 기간이 짧은 편은 아니었지만, 모임 내 사람들과 소통하고 함께 같은 주제로 글을 쓰는 것이 즐거웠습니다. 프로젝트 진행 도중 난항을 겪기도 하고 현재 프로젝트의 더딘 진행도와 잘 풀리지 않는 일정에 머리를 부여잡기도 했었지만, 그래도 이렇게 단편집을 펴내었으니 다행이라고 생각합니다.

제 글은 누군가에게 감동을 주거나, 독자에게 전달하고 싶은 말이 담겨있지도 않고, 그저 떠오르는 아이디어를 이쁘게 풀어내어 재미로 쓰는 것뿐이지만, 언제 읽어도 괜찮게 재밌는 글로 남을 수 있다면 좋다고 늘 생각합니다.

저희 글쓰기 모임; 프라그의 첫 번째 단편집 <나비 도서관>은 최근 4개월 동안 활동을 하며 쓴 작품들을 골라내고 살을 더 붙이고 다듬어서 한곳에 모아 이쁘게 짜집어 현재 세상에 나오게 된 첫 작품입니다.

이번 표지와 삽화는 전부 제가 맡았습니다. 그 이외에도 굿즈 작업과 프로젝트 이외의 작업도 하니, 글을 제때 완성할 수 있을지 걱정이 많았지만, 주어진 기간 내에 만족스럽게 완성하여 저는 만족합니다. 그리고 피드백을 함께하고 여러 가지 일들과 취합 및 책을 펴내는 것까지 도움을 준 정해윤 작가에게 감사를 전합니다. 그 이외에도 함께 끝까지 열심히 원고 작업해주신 참여진 7분에게도 감사를 전합니다. 모두 수고하셨습니다!

글쓰기 모임; 프라그의 활동은 계속됩니다. 앞으로 새겨질 발자국들에 많은 응원과 관심 부탁드립니다. 저희 글쓰기 모임; 프라그는 언제나 글을 사랑하고 쓰는 것을 좋아하는 인터넷 작가분들을 환영합니다! 감사합니다!

작가의 말

대표 작가 정해윤

안녕하세요. 작가 정해윤입니다. 신간 단편집 <나비 도서관>의 대표 작가로 참여하며 길었던 공백을 깼습니다. 전작 <대추차, 그 여자> 출간 이후 2년의 공백은 제게 유의미한 성장이자 발전의 시간이었습니다. 긴 시간 동안, 첫 작품에 남는 많은 아쉬움을 차기작에서는 남기지 않겠다는 생각으로 많은 작품을 쓰고 지웠습니다. 단편집으로나마 또 한 번의 출간을 희망했던 제게 이번 단편집 출간은 또 하나의 전환점이자 소중한 기회로 다가왔습니다.

도서 <나비 도서관>을 위해 긴 시간 수고해주신 모든 집필진께 감사드립니다.

도서의 마지막에 수록된 작품 단편 <봄이 오면>은 회상과 환상을 통해 주인공이 스스로의 결핍과 그 이유에 대해 깨닫게 되고 자신의 회복을 위해 몸부림치는 모습, 그리고 그를 통한 성장을 그린 작품으로, 주인공의 '낭만적인 성장'을 중점으로 두며 작업하였습니다.

다소 투박한 표현과 주인공의 유연하지 않은 사고를 통해 전하고자 했던 바가 여과 없이 전달되었기를 바랍니다.

텅 빈 주인공의 심리를 하나에 꽂히면 그대로 하나를 파고들어 어느새 죽음마저 두려워하지 않게 되는 인간의 성질이 파고

들어 이야기는 주인공의 비극을 향해 달려가지만, 스스로가 가지고 있던 죄책감은 꿈같은 환상으로 나타나 생각의 전환점이 되고 봄을 피하고 겨울을 향해 거꾸로 달려가던 주인공은 다시금 정면을 바라보며 천천히 걸어가기 시작합니다.

주인공의 과거는 비윤리적이고 비난받아 마땅한 행위들로 망가지고 스스로 망가뜨렸지만, 결국 수많은 고뇌와 스스로의 판단을 통해 두려움에서 일어나 고개 들고 과거를 만날 수 있게 되었습니다.

과거에 대한 올바른 반성을 거쳐 새로운 누군가가 아닌 과거의 연장선에 서 있는 스스로가 되기를 저는 작품 <봄이 오면>을 통해 독자 여러분께 말씀드렸습니다.

감사합니다.

글쓰기 모임; 프라그 SNS

인스타그램 @free_writergroup

트위터 @freewritergroup

총괄 민예원

책임 및 취합 정해윤

표지 및 일러스트 민예원

캘리그라피 정해윤

집필 민예원, 정해윤,

　　　다온, 물망초, 에스더, 온, 제로, 해와, 똥그랑땡